꿈의 비행

이강효 작가

군 장교, 건설 노동자, 사업가 등 다양한 직업을 경험하며 인생을 배웠다. 굴곡진 인생의 여정을 담백하고 우직한 방식으로 풀어내고 싶었다. 은퇴를 앞둔 5060 세대에게 힘이 되고, 젊은 세대에게 동기를 주고자 이 글을 썼다. 자아 성찰과 인간관계에 대한 섬세한 묘사를 통해 독자들에게 감동과 공감을 전달하고자 한다.

꿈의 비행

한 은퇴군인이 묵묵히 적어 내린 자전적 에세이

이강효 지음

프롤로그

운세와 현실 사이

따르릉 따르릉, 내가 선택한 아침을 깨우는 소리다. 어제 밤 이런 저런 생각에 숙면을 취하지 못했다. 그런데도 알람소리에 반사적으로 몸이 반응한다. 벌떡 일어나 새로운 일이 있을 거란 기대를 한다. 삶의 파트너가 된 휴대폰에 먼저 손이 간다. '오늘의 운세'가 도착했다는 표시가 뜬다. 행운의 색은 빨간색, 추천음식은 라면, 행운의 물건은 모래시계, 행운의 숫자는 2, 7이다. 조목조목 친절하게 조언도 한다. "작은 일에도 정성을 다해라." "현재 하고 있는 일을 꾸준히 해라." 매일 그랬듯 행복을 가득담은 커피한잔의 여유를 즐긴다. 오늘도 커피처럼 향기로운 하루를 기대하며 책상 앞에 앉았다. 본능적으로 '오늘의 운세'를 따라하고 있다. 두 개의 충전기 중 빨간색 선을 선택하고 휴대폰을 꽂는다. 리모컨채널 27을 누르니, 아이돌그룹이 젊음을 노래하고 춤을 춘다. 모래시계는 없다. 사우나에 가면 볼 수 있을까? 오늘 점심은 김밥천국에서 라면과 김밥 한 줄은 어떨까? 나약한 인간의 본성이 나온다.

그 동안 내 인생도 노력 없이 운에만 기댄 것은 아닐까? 이렇게 계속 현재를 살아간다면 내 미래는 어떤 모습일까? 인간은 미래에 대한 희망이 있어야 살 수 있다. 현재와 미래를 더 가치 있게 바꾸기 위해 무언가 시작해야 한다. 내가 할 수 있다고 꿈꾼 일을 하기로 결심했다. 그래서 글쓰기로 세상과 소통을 시작했다. 내가 유명하거나 천재성이 있어서 글을 쓰려는 건 아니다. 글을 쓰다보면 어떤 기적이 있을 거란 희망 때문이다. 나는 과거의 경험과 가족에 대한 그리움, 그리고 현재의 삶을 생각했다. 이런저런 기억에서 추억을 끌어냈다. 다사다난 했던 삶이었다. "잘 살았다." 생각했는데 아무것도 남은 것이 없다. 그래서 이제는 "한바탕 잘 놀았다."라고 표현한다.

글을 처음 시작 할 때는 망설임이 없었다. 아무 것도 없이 시작했다. 배움도 경험도 없으니 두려움도 없다. 그런데 글쓰기는 주관적 감정이나 사생활을 노출해야 하는 위험이 따른다. 알면 알수록 어렵다. 보통은 책을 읽다 글을 쓰기 시작한다. 독서가 글을 쓰고 싶은 충동을 자극하기 때문이다. 나는 글을 쓰다 독서의 필요성을 느꼈다. 그 동안 내가 글을 쓰면 누군가 읽는다는 사실에 무관심했다. 공부와 노력 없이 이루려했던 무책임한 행동이다. 이제는 당구장대신 서점에 가고 막걸리한잔의 유혹을 뿌리치고 책을 산다. 누군가 내 글을 왜 읽어야 하는지에 대한 답을 해야 하기 때문이다. 그리고 내 진실한 마음을 다 보여 주었는지 묻고, 또 물어 본다. 나는 누구인가?

차례

3부. 하늘을 향한 도전

4부. 운명적 인연과 꿈의 향연

5부. 우물 안 개구리의 깨달음

6부. 삶의 고도를 조절하며

1부

마음의 소리를 따라서

용기를 잃으면 전부를 잃는다

"이놈이, 이제야 정신을 차렸구나." 세상과 소통을 위해 키보드에 손을 올렸다. 순간, 등골이 오싹해지며 파동을 느낀다. 나는 조상님이 돕는다는 말을 많이 들었다. 결심에 대한 격려라 생각하고 용기를 냈다. 수단과 방법도 다양한 소통의 시대다. 나는 어려서부터 말이 없는 아이였다. 지금도 마음을 다 표현하지 않는다. 그래서 '소리 없는 메아리'라는 별명도 있다. 때로는 모든 것을 가슴에 담아 두고, 힘들어 하는 내가 싫을 때도 있다. 그렇다고 말솜씨가 없다는 건 아니다. 준비된 언어 표현에는 손색이 없다. 가슴속에 쌓여 있는 묵은 감정을 배출하고 싶었다. 돈을 잃으면 절반을 잃는 것이고, 용기를 잃으면 전부를 잃는 것이라 한다. 마음속 비밀의 방을 열고 용기 있게 표현하고 싶다.

용인민속촌에 출장을 간 적이 있다. 전통마을을 지나다, 한 초가집 앞에서 나도 모르게 걸음을 멈췄다. 내가 태어나 자란 김포고향집을 그대로 옮겨 놓은 것 같다. 본체와 사랑채 그 사이에 안마당, 대문 옆 외양간 그리고 쪽문이 있다. 내가 따라가지 않는 걸 확인한 후배가 돌아본다. 나는 그를 불렀다. "혹시 이런 집에서 살아봤어?" "아뇨, 저는 서울에서 태어났어요." "내 고향집과 너무 같아서 옛날 생각이 나네." 사진을 찍고 돌아서며 생각에 잠긴다. 30년 전 증조모님 산소이장을 위해 아버지와 고향에 갔다. 고향집은 내가 뛰놀던 뒷동산과 합쳐져 반듯하게 공장부지로 정지작업이 되어 있었다. 아쉬운 생각이 들었다. 중학교 때 할아버지 환갑잔치에 참석하기 위해 고향집에 갔었다. 잔치를 마치고 장남인 아버지와 형제들 간에 재산분배를 두고 다툼이 있었다. 당시 주장이 강했던 큰 며느리인 어머니는 고향집과 땅을 모두 팔았다. 그리고 할아버지와 할머니를 서울 집으로 모셨다. 나는 아직도 홧김에 한 어머니의 판단은 잘못이라고 생각한다. 성공한 정치인이나 유명한 예술가는 생가를 국가에서 보존해 준다. 나도 성공해서 생가를 다시 찾아 노후에 정착하고 싶었다. 아쉽게도 아직 이루지 못했다.

위인의 탄생은 알을 깨고 나왔다는 신화가 많다. 내 탄생은 큰 호박이 치마 속으로 굴러들어 왔다는 어머니의 태몽에서 시작된다. 용꿈이나 호랑이 꿈 보다는 겸손해 보인다. 나는 전주 이(李)가로, 이름은 편안할 강(康), 효도 효(孝)자를 쓴다. 자칭 왕손이라 주장하는 가문의 장손이다. 아버지 군 복무 중에 태어났다. 그래서 이름은 할아버지가 지어주셨다고 한다. 이름을 지었다고 하지만 변할 수 없는 성과 돌림자를 제외하면 효(孝)자만 붙여주신 거다. 효도 잘 하라는 의미다. 어린 시절은 뛰어 놀기에 충분한 넓은 마당이 있는 농가에서 자랐다. 마당에 오래된 감나무가 있어 감나무집이라 불리기도 했다. 동네에는 우리 집을 포함해 드문드문 초가집 네 가구뿐이다. 집 뒤에는 타잔놀이 하던 작은 동산이 있다. 동네사람들이 다른 마을로 이동하기 위해서, 우리 집 담을 따라 길을 낸 뒷동산 오솔길을 이용했다. 마당 앞으로 실개천이 흐르고 넓은 논과 밭이 펼쳐져 있다. 집 주변은 사과나무도 있고, 키보다 큰 옥수수가 자라고 있다. 지금 생각해 보면 내가 태어난 고향집은 풍수적으로 배산임수가 잘 갖춰진 명당이었다.

어린 시절 늘 혼자서 흙 밭을 기어 다니고, 뛰어다녔던 기억이 있다. 그러나 자세한 성장과정은 잘 기억나지 않는다. 할아버지, 할머니 손에서 자랐다. 어머니, 아버지에 대한 기억은 없다. 그 이유는 나중에 알게 됐다. 아버지 군 제대 후 부모님은 곧 도시로 돈을 벌기 위해 떠났다고 한다. 도시에서 태어 난 두 명의 동생도 있는데 모르고 지냈다. 혹시 가끔 명절 때 만났는지 모르지만 기억이 없다. 그러다 보니 소통방법을 배우지 못했다. 소통 할 대상이 없었다. 또래 친구와의 추억도 없다.

희미한 기억은 초등학교 입학식 날 부터다. 한복에 흰색 두루마리를 걸친 할아버지와 함께 집을 나섰다. 조부님은 선비 같은 외모와 인자한 성품으로 마을에서 존경을 받았다. 그러나 내게는 과묵하고 엄격했다. 할아버지는 앞서 길을 가다 가끔 뒤를 돌아본다. 내가 잘 따라 가는 걸 확인하고 발걸음을 재촉한다. 학교는 집에서 십 리길, 걸어서 한 시간 거리다. 이렇게 넓은 마당을 가진 큰 집이 있는가? 놀란 마음을 감추고 교실로 들어갔다. 교실에는 20여명 친구들이 앉아있다. 선생님은 출석부를 들고 교단에 바른 자세로 서 있었다. 가녀린 체형에 흰색원피스, 동그란 안경과 밝은 표정이 기억난다. 태어나 처음 본 천사같이 아름다운 모습이다. 한 달 정도 시간이 흘러, 학교생활에 적응했을 때다. 선생님은 그림일기 쓰는 방법을 설명한다. 한글을 모르면 그림만으로, 아는 학생은 글과 그림으로 표현하라고 했다. 매일 색연필로 생각을 글로 쓰고 그것을 그림으로 그렸다. 나는 천사 같던 선생님모습을 그리는 것을 좋아했다. 어느 날 선생님이 도화지를 한 장씩 나눠준다. 아래 부분에 네모난 도장이 찍혀있다. 학교, 학년, 이름을 쓰라한다. 김포군에서 개최하는 미술대회라고 했다. 시골학생들은 그림을 따로 배울 기회가 없다. 나는 그 동안 그림일기에 그렸던 것처럼 교단 위 의자에 앉아 감독하던 선생님을 그렸다. 일기장에 작게만 그렸다가 넓은 도화지에 펼치니 하늘을 나는 기분이다. 그리고 한동안 잊었다. 어느 날 운동장조회시간에 몇 명의 이름이 불렸다. 1학년 중에는 내 이름만 있었다. 군수님이 준 특선상장이다. 당시에는 상장에 대한 의미를 몰랐다. 공책을 묶음으로 연필을 다스로 받은 것만 좋았다. 내 인생의 첫 상장이다. 선생님을 좋아해서 자주 그렸던 것이 상으로 돌아왔다. 그 후로 초등학교 때 나갔던 모든 미술대회에서 상을 받았다. 주변에서 그림에 선천적 재능이 있다고 했지만, 운동을 좋아했던 나는 중학교 때 부터 대회에 나간 적이 없다.

기다리던 여름방학이다. 방학숙제는 곤충채집, 식물채집 그리고 그림일기다. 나는 상을 받은 후 부터 선생님께 관심을 많이 받았다. 그래서 더욱 돋보이기 위해 방학숙제를 열심히 했다. 방학이 끝나고 선생님은 숙제를 제출하라고 한다. 아무생각 없이 방학숙제와 일기장을 제출했다. 다음 날 빨간색연필로 맞춤법틀린 곳이 교정된 일기장을 돌려받았다. 너무 놀랐다. 그 동안 이런 일이 없었다. 선생님이 일기장을 다 읽어 볼 거란 생각을 못했다. 나는 평소 그림일기에 선생님얼굴을 그리고 글로 좋아했던 감정을 표현해왔다. 갑자기 선생님을 짝사랑하다 들킨 아이가 됐다. 얼굴이 화끈해지며 당장이라도 도망치고 싶었다. 다행히 2학기가 시작되고, 며칠 후 부모님이 살고 있는 인천으로 전학을 갔다. 이 때 전학이 부모님, 동생들과 처음으로 함께 사는 시작점이다.

이 사건 이후 솔직한 마음을 일기에 담은 적이 없다. 표현하지 않고 가슴에 넣어 두는 습관이 생겼다. 그러나 선생님모습은 내 이상형의 기준이 되었다. 그 동안 만났던 여성들은 선생님외모와 닮았었다. 그런데 그 마음이 지금은 바뀌었다. 친구에게 이상형 쫒다가 망했다고 웃으며 말했다. 내가 연장자임에도 학생취급 받는다. 게다가 강아지를 키우면 더 못한 대우를 받는다. 듣고 있던 친구가 거든다. 외모와 관계없이 자신도 같은 처지라고 한다. 모두가 그렇다는 건 아니다. 지금도 소통결핍증이던 잘못을 인정하지 않고, 남탓하는 오류를 범하고 있다. 나는 성장하면서 과묵했던 가풍과 더해져, 말수가 적은 사람이 되었다. 소통부족은 내 인생의 큰 약점으로 남아있다.

실현가능한 바람직한 미래

나는 꿈을 꾼다. 그리고 "이루어진다."고 믿고 있다. 내 얘기는 성공담이나, 교훈적 스토리가 아니다. 실현가능한 바람직한 미래를 꿈꾸는 민초의 솔직한 삶의 얘기다. 글을 쓸 때는 왜 쓰는지 목적이 분명해야 한다고 누군가 조언을 했다. 내가 글쓰기를 시작한 이유는 분명하다. 한 가지 목적은 나 자신을 위해서다. 내 목소리에 관심 주는 사람들과 소통하고 싶었다. 오랜 기간 고통스럽게 가슴에 박혀있던 검을 뽑아내고 자유롭게 날고 싶었다. 그리고 실현가능했지만 미뤄두었던 꿈을 이루기 위해서다. 전설의 홈런왕 베이브 루스 얘기다. 열성팬인 소년이 말에서 떨어져 다리를 다쳤다는 소식을 들었다. 어린 팬을 위해 병문안을 갔다. "수요일경기에서 너를 위해 홈런을 날려주겠다."라고 쓴 '싸인볼'을 선물했다. 그리고 그 약속을 지켰다. 이 사건이 '예고홈런'이라는 유명한 말의 탄생비화다. 나는 이 글을 시작하면서 실현가능한 미래를 예고한다. "미래의 나는 글쓰기를 통해 대중과 소통하며, 은퇴 없는 자유로운 삶을 살고 있을 거다." 가고자하는 목적지가 명확할수록 여러 가지 선택지 사이에서 방황하는 일이 줄어든다. 오래된 나무는 상처가 많지만 마지막기회에 대한 도전은 아름답다.

나는 비오는 날 들리는 모든 소리를 좋아한다. 먹구름이 시원하게 배설하는 소나기를 좋아한다. 천둥번개까지 동반하면 더욱 쾌감이 있다. 소나기 오는 날이면 알몸으로 뛰쳐나가고 싶은 충동을 느낀다. 가끔 맨발로 비를 맞으며 무작정 걷기도 한다. "왜 그랬냐?"고 물으면 "그냥, 시원해서."라고 대답한다. 누군가 이 글을 왜 쓰냐고 묻는다면, 가벼운 미소로 대답을 대신한다. 누구나 나이가 들어 어느 시기가 되면 "내 삶이 한편의 영화다." "열권의 소설로도 모자란다."라는 말을 해봤을 거다. 나도 자서전을 쓰고 싶다는 생각을 했다. 그러나 무책임했던 삶, 꽁꽁 숨겼던 사생활이 밝혀지는 것에 대한 두려움이 생긴다. 자서전을 포기한 어느 날 생각이 떠올랐다. 삶을 모티브로 내가 주인공인 소설을 써보기로 했다. 소설은 픽션이니 내 삶을 포장해도 죄책감은 없을 거라 생각했다. 어릴 시절 살던 도시의 빈민가를 중심으로 교정 없이 써 내려갔다. 한참 시간이 지난 후에야, 젊은 시절 읽었던 김홍신 소설 '인간시장'을 모방하고 있다는 걸 알았다. "정말 유치하다."라는 혼잣말을 하며 절필했다. 초보자가 글쓰기를 시작할 때는 자신의 경험을 일기처럼 솔직하게 표현하라는 것이 전문가들의 공통적 견해다. 내 인생의 경험을 가감 없이 말해보자고 결심했다.

실패경험이 없던 어린 시절, 나는 어떤 일이든 성공할 수 있다고 믿었다. 중학교 2학년 때 일이다. 나는 청와대와 가까운 곳에 위치한 중학교에 다녔다. 당시 대통령아들이 같은 울타리 안에 있는 고등학교에 입학을 했고, 국무총리아들은 중학교에 입학했다. 운동장에는 늘 정장차림의 경호원들이 많았던 기억이 난다. 이런 인연 때문인지, 어느 날 꿈속에서 대통령이 수행원을 동행하고 우리 집을 방문했다. 어머니는 정성스럽게 밥상을 준비한다. 네 명이 앉을 만한 동그란 밥상이다. 대통령은 옆에 앉은 내게 "훌륭한 사람이 되어라."하며 머리를 쓰다듬는다. 부모님과는 식사를 하며 간간이 담소도 나눈다. 이것이 꿈에 대한 기억의 전부다. 어머니께 꿈 얘기를 했다. 어머니는 "좋은 꿈이니, 너도 대통령에 도전해 봐라."하면서 웃었다. 나는 "빨리 어른이 돼서 대통령이 될 깨요."라고 답을 했다. 그 후로 어머니께 "학교가라." "공부해라."라는 잔소리를 들어본 적 없이 자랐다.

오랜 세월이 지나 어머니 환갑잔치를 마치고 직계가족만 집에 모였다. 어머니는 내게 "큰 아들 덕분에 좋았다."라고 한다. 남동생이 한마디 했다. "엄마, 나도 고생했는데 왜 형만 칭찬해요?" 막내 여동생이 맞장구친다. "그러게, 우리 집은 큰오빠가 왕이야." "그렇다고 불만 있는 건 아니고."라며 웃는다. 실제로 우리 삼남매는 우애가 좋다. 부모님 대하듯 내 말을 잘 들어준다. 어린 시절 부모님이 맞벌이를 했다. 그래서 내가 동생들을 돌 볼 때가 많았다. 어머니가 한 말씀 보탠다. "대통령이 되겠다는 아들한테 무슨 말이 필요하냐?" "가문의 영광이지." 온 가족은 웃음바다가 된다. 그 때 남동생은 "엄마 나 다시 목사 될까요?"라며 큰 소리를 친다. 기독교신자인 어머니는 집안에서 목사가 한 명 나와야 한다며, 동생에게 신학대학교에 가기를 권했다. 어느 날 공부하기 싫어했던 동생이 놀랍게 신학대학교에 합격했다. 어머니는 기도 열심히 했더니 소원이 이뤄졌다고 좋아했다. 그런데 동생이 군에서 제대를 하고나서 고백을 했다. 목사과정인 신학과가 아니라 관광경영학과에 합격을 했고, 군 입대를 하면서 중퇴했다고 한다. 어머니가 너무 좋아해서 숨겼다고 했다. 나도 그 때까지 속고 있었다.

어머니는 5년 이상 중증치매로 고생하다 돌아가셨다. 그때까지 동생을 목사, 나를 대통령으로 기억했다. 그래서 어머니께 문안 갈 때마다 목사와 대통령인 척 연기를 해야 했다. 어머니는 목사인 작은아들도, 대통령이 된 큰아들도 걱정한다. 어느 날 혼자 어머니를 만나러 갔을 때 일이다. 동생안부를 묻는다. "요즘 교회신도수가 늘었냐?" "예, 열심히 잘하고 있어요." "개척교회는 혼자서는 힘든 일이야, 내가 가서 도와줘야 하는데." "그러니 많이 드시고, 건강해지면 도와주세요." 그리고 나에 대한 걱정의 말을 덧붙인다. "요즘 동네에 간첩들이 쫙 깔렸다고 하던데, 경호원들 꼭 데리고 다녀라." "국회위원들이 속 썩여서 많이 힘들지?" "내가 누군데요?" "엄마 아들이야." "걱정 붙들어 매요." 건강한 사람보다 더 총명하다. 외출했던 아버지가 방으로 들어왔다. 내게 밥은 먹고 왔냐고 묻는다. 그 때 어머니는 "누구야?" "같이 오신 분이냐?" 간간이 아버지도 기억 못한다. 돌아가실 때 까지 나와 남동생만 기억했다. 우리 형제는 평생 자식 잘 되기를 기도해 준 어머니의 염원을 받들지 못했다. 그렇지만 목사와 대통령 어머니로 마지막기억을 간직하고 하늘로 떠나셨다.

가슴에 묻어 둔 고통

“인천경찰서 김 형사입니다.” “경찰서요?” 무슨 일이죠? “부모님께 사고가 생겨 연락했습니다.” “아, 어머니요?” “아뇨, 부모님 두 분 다입니다.” 갑자기 심장이 멈춘 듯 숨이 막히고 온몸이 싸늘해진다. 나는 서울사무실에서 일을 하고 있었다. 부모님 집은 인천에 있다. 어머니는 건강할 때 대부분 시간을 교회에서 보냈다. 40대 중반에 신학교를 졸업한 어머니는 전도사로 활동했다. 은퇴한 후에는 성경공부를 지도하는 권사님으로 신도들의 존경을 받았다. 그러나 70대 중반 부터 치매가 심해져 가족만 알아보고 모든 기억을 잃었다. 동생과 별도의 약속은 안 했지만 나는 일요일에, 동생은 토요일에 부모님을 찾는 것이 자연스럽게 되었다. 평소에는 아버지가 돌보고 오후에는 간병인이 도와준다. 아버지는 그 시간을 이용해 개인적인 일을 본다. 어머니는 치매초기에 교회에 갔다 자주 길을 잃었다. 그 때 마다 목걸이에 있는 연락처를 보고 경찰이 집까지 모셔오는 일이 많았다. 어머니가 또 길을 잃어 경찰에 인계됐는데, 아버지와 연락이 안돼서 내게 연락이 온 거로 생각했다. 그런데 부모님이라는 말에 너무 놀랐다. 재차 다급하게 큰소리로 물었다. "그래서 어떻게 됐다는 겁니까?" "일단 오시면 그 때 말씀 드리겠습니다." 큰 사고라 직감한 후 다시 차분한 목소리 다시 물었다. "형사님, 내가 예상하는 최악의 상황인가요?" 형사가 대답한다. "마음의 준비를 하시죠." "두 분 다 사망하셨습니다." 서둘러 택시를 탔다. "인천경찰서로 최대한 빨리 가주세요." 내 표정이나 말투를 듣고 기사는 짧은 대답과 함께 총알처럼 달렸다. 나를 사복경찰로 생각하고 도우려는 것 같다. 고맙다는 인사말과 함께 서둘러 내렸다. "어서오세요." "많이 힘드시죠?"라고 말문을 꺼낸 형사는 커피를 가지고 와서 유가족조사를 해야 한다고 했다. 조사를 마친 형사는 노트북을 내 방향으로 돌려 CCTV영상을 보여준다. 검은색 모자를 눌러쓴 건장한 사람이, 골목입구부터 귀가하던 아버지를 미행했다. 그 후 문이 잠기지 않은 것을 확인하고 집으로 들어갔다. 부모님은 오래된 빌라일층에 살았다. 아버지는 정원에 꽃도 심고, 조그만 텃밭도 가꾸며 일층에 사는 혜택을 충분히 누렸다. "강도사건입니다." 형사는 내 표정을 살피며 사건경위를 설명했다. 충청도에 거주하던 범인은 자신의 부친을 살해 후 도주해 수배중인 상태였다. 인천으로 도피한 범인은 돈이 떨어져 범행대상을 찾고 있었다. 그 대상이 가족 없이 노인만사는 집이었다. 평소에 현관문을 열어 놓는 것을 확인하고 범행을 실행했다. 형사는 다행히 오늘 범인이 잡혔다고 말했다. 범인은 친구와 추가범행을 계획하고 이동하다, 부산역에서 불심검문에 체포됐다고 한다. 나는 다행이라 말하고, 냉정하게 다음 절차에 대해 물었다. 형사는 시신이 안치된 병원과 담당자 연락처를 준다. 병원담당자는 부검을 받아야 사망진단서가 발부된다고 했다. 다음날 동생에게 장례준비를 부탁하고, 구급차에 부모님을 모시고 서울과학수사연구소에 갔다. 부검을 마치고 소견서를 받아 다시 병원으로 왔다. 사망진단서를 발급 받고 장례절차를 진행했다. 드라마에서 부모님이 돌아가셨다는 소식을 들으면 기절하는 사람, 다리에 힘이 풀리는 사람, 울부짖는 사람으로 연기한다. 그건 드라마일 뿐 현실은 달랐다. 슬퍼할 시간이 없다. 누가 이 일을 대신해 줄 수가 없다.

정확히 6개월 전이다. 조카에게 전화가 왔다. 엄마가 위독하다고 한다. 조카의 엄마는 내 막내 여동생이다. 어려서 부터 나를 많이 따랐다. 성인이 돼서는 어려운 일이 있을 때, 서로를 위로해 주는 술 친구였다. 오래전에 이혼하고 남매를 혼자 키우는 한 부모가정이다. 일주일전 입원해 있던 동생이 퇴원하는 날, 병원에서 만나 집에 데려다 주었다. 평소에도 건강이 안 좋아 자주 입원이나 통원치료를 병행했다. 아침에 호흡곤란으로 병원응급실로 왔으나, 아직 의식을 찾지 못한다고 했다. 합병증에 악성폐렴이라고 한다. 내가 병원에 도착했을 때는 중환자실에 의식 없이 호흡기에 의존해, 거친 숨을 몰아쉬고 있었다. 조카들이 초조해하며 말한다. "큰삼촌

어떻게 해야 되나요?" 나는 긴장을 풀어주기 위해 농담을 섞어서 말했다. "엄마가 입원 하루 이틀이냐?" "다른 사람이 보면 엄마가 병원에서 아르바이트 하는 줄 알겠다." 그러나 심상치 않음을 직감했다. 나는 조카들에게 "중환자실은 보호자가 특별히 할 일이 없으니, 교대로 집에 가서 쉬어라." 말하고 돌아왔다. 다음 날 조카에게 연락이 왔다. "의사가 어른보호자가 있어야 한데요." 서둘러 병원에 도착했다. 중환자실에 들어갔으나 할 수 있는 일이 없다. 병원 밖으로 나가 답답한 마음을 달래려 담배를 한 대 피웠다. 흡연실은 동생이 입원했을 때 함께 이용했던 추억의 장소다. 남동생이 도착했다는 연락을 받고 다시 중환자실 앞으로 갔다. 의사가 환자상태에 대해 설명했다. 가망이 없다는 소리를 돌려말하니 설명이 길어진다. 그리고 가족동의하에 호흡기를 떼는 안락사에 대해 설명했다. 나와 남동생 그리고 조카들, 누구도 한마디 거들지 못했다. 내가 먼저 말문을 열었다. "아직 젊은 사람인데 이겨낼 수 있지 않을까요?" "최선을 다했습니다만 이미 의학적으로는 사망상태입니다." 얄미울 정도로 냉정하게 대답했다. 인정하기 싫었지만 마음의 준비를 해야 했다. 나는 하루만 더 지켜보자고 말했다. 다음날 조카에게 전화가 왔다. "외삼촌, 시간이 없다고 하네요." "내가 곧 갈 테니 들어가서 임종을 지켜라." 도착했을 때는 하얀 천으로 얼굴이 가려져 있었다. 간호사가 시트를 내리고 얼굴을 보여준다. 나는 머리에 손을 올리고 눈을 감았다. "부족해도 이웃과 나누며, 기뻐했던 미소천사였는데." 기도는 나오지 않고, 가슴에 통증만 느껴진다.

어머니는 그 동안 막내딸이 하늘로 먼저 간 사실을 모르고 있었다. 화장이 끝나고 유골을 받기 위해 대기했다. 하얀색종이에 포장된 부모님유골을 받았다. 포장크기로 아버지와 어머니를 구별할 수 있었다. 나는 장례식전 동생에게 유골함은 하나만 준비하라고 했다. 부모님은 평생 서로 다투는 부부였다. 좋은 부모였지만, 좋은 부부는 아니었다. 하늘나라에서는 서로 사랑하며, 행복한 부부로 살라는 의미를 담았다. 유골함아래쪽에 어머니를 위쪽에 아버지를 모시고 뚜껑을 닫았다. 앞서가서 기다리는 여동생이 안치된 납골당에 부모님을 모셨다.

아프다. 많이 아프다. 고통은 가슴에 묻어 두었다.

아픈 만큼 깊어지는 삶

내 인생에서 가장 슬픈 말이 있다. "부모님께 효도할 수 있었는데, 했어야 했는데, 해야만 했는데." 결국 그렇게 못했기에 상처가 더 크다. "자식이 효도를 하고자 하나 어버이는 기다리지 않는다." 너무 잘 아는 교훈이지만 뒤늦게 깨닫는다. 우리나라는 효도에 관한 수많은 좋은 말이 있다. 충, 효, 예를 중요하게 생각하는 유교사상 때문이다. 효도는 부모를 정성껏 잘 섬기는 일이다. 나는 이 글을 쓰기 위해 효도에 관한 명언모음을 읽었다. 몰라서 읽은 건 아니다. 불효에 대한 후회 때문에 되새기기 위해서다. "나를 낳아 고생하며 길러주신 부모님, 그 은혜 보답하려 하니 길이 없도다."(은중경) "자식을 길러 본 후에야 부모의 마음을 안다."(왕양명) "어버이의 걱정 없는 마음은 자식의 효도 때문이다."(명심보감) "부모 앞에서는 결코 늙었다는 말을 해서는 안 된다."(소학) "어버이께 효도하면 자식이 또한 효도하고, 이 몸이 이미 효도하지 못했으면 자식이 어찌 효도하리요."(강태공)

내게는 효도한다고 우기는 장성한 자식이 둘 있다. 가끔 어릴 적 아빠에게 혼났던 기억을 끄집어낸다. 내가 용서하지 않은 일이 두 가지가 있었다고 한다. 어른들께 인사하지 않았을 때, 남매간에 싸웠을 때라고 한다. 나는 기억이 가물가물한데 정확하게 기억하고 있다. 그런데 엄마에게는 혼났다고 하지 않고 싸웠다고 표현한다. 매일 잔소리를 들었으니, 자존심이 상해서 그런 것 같다. 가해자는 쉬게 잊을 수 있어도, 피해자는 가슴에 담아두는 것이 세상의 이치다. 나도 부모님께 꾸지람을 들은 적이 있다. 첫 사랑을 못 잊는 것처럼, 첫 꾸지람은 선명하게 기억이 난다. 초등학교 3학년 때다. 아버지 술심부름을 자주했다. 주전자를 가지고 가게에 가서 막걸리를 받아오는 거다. 가게에 가면 막걸리항아리에서 한 바가지를 떠서 주전자에 담아준다. 그걸 '막걸리 한 되'라고 했다. 하루는 아버지친구들이 우리 집을 방문했다. 그래서 몇 번째 술심부름을 하고 있었다. 술을 사오다가 갈증이 나 물이 마시고 싶었다. 그래서 주전자 코를 들고 입으로 부었다. 달짝지근하니 너무 맛이 있다. 집으로 돌아오면서 한 모금씩 마셨다. 집에 도착했을 때는 이미 취해있었다. 대문을 열고 들어오자 곧 쓰러졌다. 하늘이 노랗게 보이고 땅이 빙글빙글 돌았다. 인생 첫 술에 취해 쓰러졌다. 아버지는 쓰러진 나를 돌보면서도 입으로는 욕설을 섞어가며 혼냈던 기억이 있다. 나는 어머니와는 평소관계가 좋았다. 그래서 효도를 못했다는 자책이 덜 하다. 그러나 아버지와는 추억이 없다. 가난했던 기억이 많아 아버지가 가장 역할을 못했다고 원망도 했다. 특별한 대화 없이 살았다. 내 나이 50이 넘어서부터 소통이 시작됐다. 아버지가 치매환자인 어머니를 진심으로 돌보는 모습을 보고 마음을 열었다. 과거 아버지의 모습과 현재의 내가 무엇이 다르겠는가? 반성하고 효도 좀 하려 했는데 기다리지 않고 먼저 가셨다. 그래서 아쉬움과 죄책감이 크다. 어머니22세, 아버지 21세에 내가 태어났다. 내가 8살 때 부모님 존재를 처음 알았다. 아버지가 부모 노릇하기엔 너무 어린 나이었다. 큰 아들의 존재 자체가 부담이었을 거다. 상대적으로 성격이 강했던 어머니 기세에 눌려 살았던 아버지다. 내가 먼저 이해했어야 했다. 아버지와 함께 술을 마신 적이 있다. 기분 좋게 취한 아버지는 "장남인 네가 집안을 일으켜 줄 거라 믿는다."고 말했다. 생각해 보니 마지막 술자리였다. "아버지, 미안해요." "뭐든 다 할 수 있을 줄 알았는데, 아무것도 하지 못하고 아무것도 이룬 것이 없네요."

마음의 고통은 공기처럼 소중해서 아픈 만큼 삶을 깊어지게 한다. 이러한 아픔과 고통을 이겨내야 하는 것이 행복을 위한 삶이다. 나는 이렇게 아픈 이별을 겪은 후에 고통을 방어할 명분을 만든다. 후폭풍을 막기 위한 행동이다. 후폭풍은 폭탄이 발사되고 그 뒤로 빠져나오는 폭풍이다. 어떤 사건이 일어난 후의 여파를 뜻하는 말이다. 뉴스나 신문기사에 종종 "사건에 따른 후폭풍이 예상되는 상황이다."라는 식으로 사용되기도 한다. 앞으로 우리 형제가 겪는 일 또한 누구나 예상했던 그런 일이다.

부모님 장례를 치르고 가족들은 각자 일상으로 돌아갔다. 일주일 정도 지난 어느 날, 동생에게 전화가 왔다. 꿈에 부모님이 자주 나타난다고 한다. 가끔 숨쉬기가 어렵다고 한다. 일이 손에 잡히질 않고 무기력해 진다고 한다. 부인이 자기 앞에서 너무 조심하니 그것도 스트레스라 했다. 동생의 죄책감이 나보다 심하다는 걸 알고 있다. 사건 한 시간 전까지 동생이 그 곳에 있었기 때문이다. 간병인이 안 오는 토요일은 동생이, 일요일은 내가 부모님 집을 다녀온다. 그 날은 외출했던 아버지가 집으로 돌아오고 있다는 전화를 받고 출발했다고 한다. 자신이 좀 더 있었다면 사건이 없었을 거라고 자책을 한다. 나는 "너라도 무사했으니 불행 중 다행이다."라고 말했다. 오랜만에 동생을 불러 술을 한잔했다. "형, 이제 우리 고아지?" "이 세상에 우리 둘만 남았네." 전혀 생각지도 못했던 말이다. 나는 아직 그 생각까지 해보지 못했다. "정말 그러네." 나는 더 이상 말을 잇지 못했다. 부모님유품을 소각하는 날 한참 망설이다가 태운 사진이 한 장 있다. 수십 년 전 고등학교 졸업식을 마치고, 어머니께 선물 받은 양복을 입고 사진관에서 찍은 가족사진이다. 그 동안 잊고 있었는데 확대된 사진을 부모님이 소장하고 있었다. 다섯 명이던 가족이 불과 6개월 만에 형제 두 명만 남았다. 보관하고 기억하는 것이 고통스러울 것 같아 소각했다. "우리 둘만 남았네."라는 동생의 말이 지금도 마음을 때린다. 얼큰하게 취한 동생을 위해 대리운전기사를 불렀다. 애써 눈물을 참고 있다는 걸 알고 빨리 보내려 했다. 그러자, 알아서 간다며 억지로 나를 밀쳐 먼저 보냈다. 걱정되어 뒤돌아보니 차 뒤편에서 눈물을 훔치고 있었다. 나 역시 그동안 참아왔던 눈물이 터진다. 인적이 없는 골목으로 뛰어가 털썩 주저앉아 처음으로 소리 내서 울었다. 지금 이 글을 쓰는 순간에도 하염없이 눈물이 흘러 몇 번을 중단했다. 남자는 평생 세 번 운다고 했는데, 더 이상 이런 일이 없기를 기도해 본다.

동료와의 모임에서 사건에 대해 누군가 얘기를 하려고 한다. 그러면 다른 한 명이 눈치를 주며 말문을 막는다. 갑자기 술자리 분위기가 어색해진다. 아마, 내가 이 자리에 없다면 사건얘기가 안주거리일거다. 자연스럽게 동료들과의 모임도 줄어든다. 어느 날 방송국에서 전화가 왔다. 시사프로그램에서 사건을 심층 보도해, 범인을 엄벌하는 쪽으로 여론을 만들어 가겠다고 한다. 직접 인터뷰를 해달라고 했다. 나는 정중하게 거절했다. 그 동안 뉴스에서 이 사건을 많이 다뤘다. 애써 외면하고 보지 않았다. 영화나 무협지를 보면 부모님원수를 갚기 위해 10년 동안 무술을 배우고 하산한다. 결국은 복수에 성공하는 권선징악이 결말이다. 나도 머릿속에 몇 가지 시나리오를 생각해 봤다. 20년 이상 무술가로 살아온 내가 그 자리에 있었다면, 범인을 처단하고 부모님을 구했을 텐데 하는 상상을 해 봤다. 교도소로 잠입해 범인을 응징하는 어린애 같은 망상도 했다. 그러나 현실은 다르다. 유가족에게 2차 가해란 잊혀질만하면 다시 기억을 상기시키는 거다. 범인얼굴을 평생 기억하며 살아가는 것 또한 고통이다. 마음이 다쳤을 때 보복심을 일으키면 내 고통만 더 커진다는 걸 알고 있다. 그러나 나를 힘들게 한 자는 백배 더한 고통을 받게 해달라는 기도로 소심한 복수를 해본다. 잊어버리는 것보다 더 큰 복수는 없다. 이제 처벌은 하늘과 국가에 맡기고, 빨리 잊고 일상으로 돌아가는 거다. 동생도 같은 연락을 받았으나 거절했다고 한다.

비워야 새로운 것을 채울 수 있다

나는 남자답게 나름 강하게 살았다. 시간이 지나면 사건을 잊을 수 있다고 스스로 최면을 걸었다. 그러나 불가능했다. 후폭풍이 거세게 몰려온다. 수면제 없이는 잠을 이룰 수가 없다. 혼자 있는 시간이 좋다. 진행하던 사업은 이미 중단했다. 먹고 싶은 것도 없고, 하고 싶은 일도 없다. 방송에 비치는 자연인이 부럽다. 이렇게 보름 정도가 지났을 무렵 한 통의 전화를 받았다. 경찰서심리상담사라 한다. '트라우마'센터를 방문하라고 했다. 나는 어떻게 알고 전화했냐고 물었다. 유가족심리치료는 자신들의 임무라 했다. '트라우마'는 정신에 지속적인 영향을 주는 격렬한 감정적 충격이다. 여러 가지 정신장애의 원인이 될 수 있다고 한다. 나는 약속을 잡고 인천에 있는 센터를 방문해서 심리검사를 받았다. 심각하냐고 물었다. 상담사는 대답 없이 일주일에 한 번씩 방문해 치료받기를 권했다. 알았다고 대답은 했지만 사업을 다시 시작해야하고 거리도 멀었다. 그리고 치료받은 경력이 도움 될 것 같지도 않았다. 다음 날 전화로 방문치료는 현재 상황에서 불가능하다고 말했다. 상담사는 알겠으니 전화는 잘 받아 달라고 한다. 지금 생각하면 치료를 안 받은 것이 후회된다. 그 후로 주기적으로 현재 상태를 묻는 전화가 왔다.

“정신 차려, 이놈아!” 부모님의 호통소리가 귀전에 울린다. 심호흡을 하고 스스로 치료 하겠다고 다짐했다. 과거에 화가 나거나 스트레스가 심할 때, 체육관을 찾아 숨이 멈추기 직전까지 손과 발로 샌드백을 후려쳤던 기억이 있다. 흠뻑 땀을 흘리며 몸을 혹사했을 때 정신이 맑아 졌음을 느꼈다. 나는 자칭 은퇴 없는 무술가다. 잠시 지도자 수업을 받기도 했고, 무술협회에서 심판위원으로 활동한 적도 있다. 그러나 생계를 위해 직업으로 삼은 적은 없다. 그래서 아마추어 무술가가 정확한 표현이다. 초등학교 3학년부터 태권도를 시작으로 검도, 유도, 중국무술을 오랜 기간 수련했다. 그리고 유명 단전호흡수련단체 평생회원이기도 하다. 무술을 오래한 사람은 초면에 나를 보고 어떤 운동했냐고 묻는 경우가 있다. 젊은 시절에는 더욱 그랬다. 외모만 보고도 직감으로 안다. 나도 격투자세만 보고도 어떤 무술을 기반으로 하는지 바로 알 수 있다. 이것은 구기 종목 선수들이 축구, 야구, 농구 선수를 본능적으로 구분하는 것과 같은 원리다. 일부 무술을 모르는 사람은 이정도 경력이면 날아다니는 것 아니냐는 말을 한다. 절대 그렇지 않다. 어느 정도 시기가 되면 정신수양이고 건강유지가 목적이 된다. 나도 한때는 무술

단증을 마치 우표수집 하듯 모아가는 과정도 있었다. 그러나 나이가 들어 몸이 마음대로 움직이지 않을 때부터 부질없는 짓이라는 걸 깨달았다. 실력이 뒷받침되지 않는 단증이나 자격증은 한낱 종이쪽지에 불과하다. 그리고 어떤 무술이 최고냐를 따지는 것 또한 의미가 없다. 어떤 무술이든 수련하는 사람이 누구냐가 더 중요하다. 무술을 싸움이라는 잣대로만 잰다면 더욱 그렇다. 만일 이런 기준으로 무술을 바라본다면, 모든 환상은 종합격투기의 출현으로 사라진다. 그러나 시각을 바꿔 보면 모든 무술은 각각 고유의 가치를 갖고 있다. 가끔 무술대회에서 백발에 흰 수염을 날리며, 어색한 동작으로 시범을 보이는 원로무술인을 볼 수 있다. 시범이 끝나면 참가자 모두가 일어나 박수를 보낸다. 누가 이들을 싸움실력으로 평가하겠는가? 한 전문분야에 평생을 받친 노고와 수많은 제자를 양성한 스승님으로 존경하기 때문이다.

나는 꼭 해보고 싶었지만 실천하지 못한 운동이 있었다. 실전성이 높다는 권투와 격투기다. 집 근처 이미 알고 있던 격투기체육관을 방문했다. "운동 좀 해보려고 왔어요."라고 했더니 의아해하며 나를 바라본다. 아들 나이 정도 되는 젊은 관장이 격투기하실 연세가 아니라며 정중하게 거절했다. 그리고 한 달 후에 체육관이전계획이 있다는 핑계도 댄다. 왕년에 운동 꽤나 했지만, 내가 관장이라도 거절했을 거다. 모든 운동이 부상에 대한 안전을 최우선으로 생각하기 때문이다. 세월의 야속함을 원망하며 아쉽지만 돌아왔다.

며칠 후 문득 집에서 두 정거장 거리에 있는 권투체육관이 생각났다. 운동화에 추리닝을 걸치고 무작정 달려갔다. 40대 중반나이로 보이고, 한국챔피언을 했던 관장이 운영하는 체육관이다. 예상외로 존경한다며 반갑게 맞아주었다.

이렇게 권투가 시작됐다. 모든 것을 잊기 위해 하루 2시간씩 훈련에 매진했다. 과거 무술을 시작했을 때와는 상황이 다르다. 기본기부터 차근차근 훈련하기에는 마음이 급했다. 내가 권투선수가 되기 위해 하는 훈련이 아니다. 마음속에 쌓여있는 분노를 표출하는 과정이다. 기초체력단련과 기본기훈련을 마치고 나면 미친 듯이 샌드백을 쳤다. 무리하지 말라는 관장의 경고를 안 듣고 더욱 강도를 높였다. 전문가조언을 무시하니 결국 문제가 생겼다. 3개월이 지날 무렵 왼쪽팔꿈치가 부풀어 오르고 통증이 온다. 병원에 가니 물혹이 자라고 있다고 한다. 방치하면 계속 커져 결국 수술해야 한다고 했다. 일주에 한 번씩 병원에 가서 주사기로 물을 빼면서 훈련에 매진했다. 다행히 통증은 없었다. 그러나 5개월이 지났을 무렵 다시 팔꿈치물혹이 점점 더 커지고 통증이 밀려온다. 무엇이든 지나치면 문제가 생긴다. 특히 나이 들어서 하는 운동은 더욱 그렇다. 의사는 더 이상 운동을 해서는 안 되고, 당장 수술을 해야 한다고 했다. 결국 수술을 결정했다. 제거된 물혹은 20센티 까지 커져있었다. 권투를 더 이상 할 수 없게 되었다. 팔꿈치에 수술자국은 남았지만, 권투로 인해 마음의 상처는 치유가 됐다. 그리고 정상적인

생활을 할 수 있는 원동력이 되었다.

소통을 하다보면 나와 유사한 삶을 경험하고 공감하는 사람도 있다. 비우지 않으면 새로운 것을 채울 수가 없다. 나는 그 동안 마음의 문을 닫고 살아왔다. 이제 글이라는 소통의 매체를 통해 마음 속 쓰레기배출을 시작하고 있다. 그리고 결과가 어떻게 될지를 증명해 보고 싶다. 만일 소통의 결과로 현재의 삶보다 더 낳은 미래의 꿈이 실현 된다면 "용기내서 다시 시작하니 성공이 제 발로 찾아온다."는 나의 다짐서가 될 거다. 미래의 자신을 아는 것은 목적 있는 삶의 열쇠이기 때문이다.

忠孝道場

2부

꿈 그리고 성찰

굴곡진 삶의 여정

나는 전 재산을 투자해 주식회사를 설립하고 유통 사업을 해왔다. 그러나 자만심과 경험부족으로 회사가 부도났다. 사업은 망해도 괜찮지만 신용을 잃으면 그걸로 끝이라는 말이 있다. 정말 그랬다. 실패를 경험하니 많은 것을 배울 수 있었다. 그때는 정신적으로 많이 힘들었다. 결국 감당할 수 없는 채무로 신용불량자가 됐다. 모든 은행통장이 압류되어 정상적인 경제활동을 할 수 없었다. 결국 채권단의 압력을 못 견뎌 가까운 친구가 거주하고 있는 중국 심양으로 떠났다. 심양은 잘 알고 있는 만주지역에서 제일 큰 도시다. 한국 사람이 많이 거주하고 있어 중국말을 몰라도 생활에 불편이 없다. 친구는 내 처지를 알고 숙소도 얻어주고 생활에 필요한 모든 것을 제공했다. 그러나 시간이 지날수록 마음이 편치 않았다. 부모님생계를 책임져야 했기에 마냥 머물 수가 없었다. 결국 3개월 만에 한국에 돌아왔다. 이제부터 먹고살기 위해 돈을 벌어야 한다. 실패를 뒤집어 보면 그 속에 성공이 들어있다고 한다. 처음부터 다시 시작하면 된다고 마음을 잡았다. 정주영 회장 말이 내게 힘을 준다. "불가능 하다고?" "이봐, 해보기는 해봤어?"

이제 부터 굴곡진 삶의 여정이 시작된다. "알면 힘, 모르면 병"이라는 말이 있듯이, 어떤 직업도 경험이 없을 때는 쉽게 도전하기가 어렵다. 그래서 하고자 하는 일에 대한 지식과 정보가 필요하다. 앞으로 내가 경험한 일을 가급적 소상히 설명할 예정이다. 나와 같은 처지의 누군가에게 간접경험이라도 될 수 있을 거라 믿기 때문이다. 많은 고민 끝에 결심을 굳히고 무작정 인력사무실을 찾았다. 급여에 압류가 들어와 정규직취업은 할 수 없었기 때문이다. 그래서 매일 일당을 현금으로 받을 수 있는 일이 필요했다. 총무라고 불리는 사람이 책상에 앉아 어리둥절 하는 나를 보고 말한다. "아저씨, 처음 왔어요?" "이리 오세요." "안전교육증 있어요?" "그게 뭔데요?" 총무는 한숨을 쉬며 "현장경험이 전혀 없네요?" "예, 처음인데 집이 가까우니 아침 일찍 나올 수는 있어요." 총무는 만족한 듯 "일단, 내일 오전 5시까지 작업복하고 안전화 갖고 사무실로 오세요." 안전교육을 받기 전에는 건설현장은 못가고 다른 일을 해야 한다고 했다. 집으로 돌아와 안전화를 구입하고 작업복을 챙겨 가방에 넣었다. 처음 시작하는 일에 대한 설렘과 두려움에 잠을 이루지 못했다. 새벽 4시에 집을 나와 인력사무실로 향했다. 처음에는 생선도매시장에서 물고기를 운반하는 일을 했고, 이사 짐 나르는 일을 하기도 했다. 이렇게 일을 시작하고 며칠 후 안전교육증이 필요해

8시간교육을 이수했다. 안전교육증의 정식명칭은 '건설업 기초안전보건교육 이수증'이다. 건설현장에서 일하기 위해서는 반드시 필요하다. 처음으로 먹고 살기 위해 취득한 자격증이다. 일터에서 초보자는 자재정리를 중심으로 힘을 써야하는 허드렛일을 해야 한다. 그래서 과거에는 노가다, 잡부, 막노동이라는 일용직노동자를 비하하는 용어를 사용했다. 그러나 현재는 건설노동자라고 부른다. 처음 일주일간은 안 쓰던 근육에 힘을 주어야 하니 온몸이 굳어지는 고통을 수반한다. 육체적, 정신적 한계가 온다. 이때 필요한 것이 헝그리정신이다. 무조건 참고, 견뎌내야 한다. 이 고비만 넘기면 오히려 비가 와서 쉴 때, 몸이 근질거려 일을 하고 싶은 충동이 생긴다. 나는 어느 정도 숙련된 후에 건설현장에서 안전망, 안전대를 설치하는 업체에서 고정적으로 일을 하게 되었다. 이 일은 안전장치가 없는 상태에서 작업을 해야 하기에 늘 긴장해야 한다. 일당노동자는 기능공이 아닐 경우, 일을 선택해서 할 수가 없다. 매일 하는 일과 장소가 다르게 배정된다. 그러나 한 곳에서 성실하게 일을 해주면, 업체에서 그 사람을 고정으로 보내달라고 사무실에 요구를 한다. 나는 주로 송도신도시, 청라지구현장에서 일했다. 마지막 한 달간은 롯데월드타워건설에 참여 했다. 건설기간 3년 동안 123만 명의 건설노동자가 일했다고 한다. 나도 그중 한명으로 야간에 일을 했다. 다음날 기술자들이 작업을 할 수 있도록 건설자재를 각 층에 운반해 주는 일이다. 양중 또는 곰방이라고 한다. 현장일

중에 가장 힘든 일로 분류되어 일당이 높게 책정된다. 지금은 웃으며 자랑삼아 얘기하고 있다. 하지만 당시는 목숨 걸고 일했다. 실제 건설현장은 생사를 넘는 위험한 일이 자주 발생한다.

이렇게 6개월의 시간이 흘렀다. 그동안 건설일당 일을 하면서 한 친구를 만났다. 매일 태권도장홍보문구가 적힌 봉고차를 타고 온다. 나와는 동갑이고 태권도장을 운영한다고 했다. 다인승차량을 소유하고 있으면 인력사무실에서 우대를 받는다. 늘 같은 차를 타고 이동하고, 현장에서도 함께 일을 하다 보니 친해졌다. 태권도장은 휴업 중이라고 했다. 주식열풍이 불었을 때 은행대출을 받아 투자했는데, 주가폭락으로 다 날렸다고 한다. 아파트 한 채 값이라고 했다. 나는 주식에 대해 몰랐지만 뉴스에서 개미투자자가 힘들다는 말을 들은 적이 있다. 그 때가 그 시절이다. 친구는 신용불량이 되어 건설일당 일을 시작했다고 한다. 현재는 신용회복중이라 자유로운 상태라고 했다. 나는 동병상련인 속마음을 숨기고 조심스럽게 신용회복절차에 대해 물었다. 친구는 거침없이 자신의 경험담을 쏟아냈다. 다음날 신용회복위원회에 전화를 하고 예약날짜를 잡았다. "아, 이런 곳도 있었구나." 안도의 숨을 쉬었다. 위원회 상담사는 마치 자신의 일처럼 안타까워하며 도움을 주었다. 위원회에서 진행하는 절차를 충실히 따랐다. 부모님을 부양하고 있어 감면혜택이 많았다고 했다. 더 이상 압류나 소송은 없을 거고, 남은 채무는 5년간 분할납부로 결정됐다고 한다. 마음속에 있던 무거운 짐을 내려놓으니 다시 자신감이 생겼다.

건설노동자로 일당 일을 하며 모은 돈은 생활에 안정은 됐지만 자영업을 꿈꾸기는 부족했다. 경제적 자유를 위해 일을 더해야 한다. 부채로 인한 압박에서 벗어는 났으니 꾸준하게 할 수 있는 새로운 직업을 찾아야 한다고 생각했다. 일자리정보지를 통해 알게 된 직업소개소를 찾았다. 상담사는 내게 맞을 만한 여러 가지 대안을 제시했다. 그런데 이제는 육체적으로 힘든 일을 하고 싶지 않았다. 그 동안 힘을 써야하는 노동에 에너지를 많이 소진했다. 상담사는 경비직에 대해 설명했다. 대기업 보안 팀 소속으로 주, 야간 교대근무를 해야 한다고 했다. 대기자가 많아 이력서를 보내고 기다릴 수 있냐고 물었다. 며칠 후 경비대장이 직접 면접을 보자며 연락이 왔다. 내 무술경력이 우선 선발된 이유라고 말하며 함께 일하자고 한다. 사실, 경비직이라는 직업특성에 맞게 다른 이력서에 기록하지 않았던 공인단증을 제시한 작전이 성공했다. 이력서를 작성할 때 불필요한 이력을 구구절절 넣는 것 보다, 직업특성에 맞는 경력을 간략하게 제시하는 것이 유리하다. 업무를 시작하기 전에 교육을 받아야 한다. 3일간 총 24시간의 교육프로그램인 호송경비, 신변보호, 시설경비, 기계경비에 대해 배우고 시험을 통과했다. 한국경비협회에서 주관하고 정식명칭은 '일반경비원신임교육수료증'이다. 생계유지를 위한 또 하나의 자격이 생겼다. 경비업무를 위한 자격증에는 이 외에 '특수경비자격증'과 '경비지도사자격증'이 있다.

이렇게 또 다른 여정이 시작된다. 당시 경비대는 2개 팀으로 구성되고 주, 야간 교대근무를 하는 시스템이다. 전문용어로 '주, 야, 비'라고 한다. 하루는 주간 24시간, 다음날은 야간 24시간, 그리고 휴식 24시간이 반복되는 구조다. 내가 퇴직한 후에는 3개 팀으로 운영되어 업무 부담이 많이 줄었다고 한다. 3개 팀으로 운영되는 시스템은 '주주, 야야, 비비'라고 부른다. 대원들의 경력도 다양하다. 전직군인, 경찰, 운동선수도 출신도 있다. 자칭 왕년에 보컬그룹 리더였다고 주장하며 시시콜콜 간섭하는 돈키호테 같은 선배도 있었다. 상식적으로 생각했던 경비업무는 보초서고, 출입 통제하고, 순찰하는 임무다. 그런데 나는 여직원한명을 포함 세 명이 근무하는 출하장정문을 담당했다. 생산되어 출고되는 중장비를 서류와 일치하는지 확인하고, 입고되는 부속품을 검수하는 일이다. 그리고 모든 자료를 컴퓨터에 엑셀프로그램을 이용해서 기록해야 한다. 복지시설도 좋고, 인간관계와 주어진 업무도 만족스럽다. 이제 나도 적성에 맞는 일을 찾았다고 생각했다.

이렇게 반복되는 평탄한 생활이 2년간 지속됐다. 급한 불 끄자는 심정으로 시작했던 건설노동을 했을 때 못 느꼈던 '과거의 나'와 '현재의 나'를 비교하며 마음이 흔들린다. 나는 직업에는 귀천이 없다는 말을 믿으며 살았다. 할아버지는 농사꾼으로 아버지는 막노동자로 그렇게 살았기 때문이다. 그러나 그 시절은 시대적환경이 다를 때다. 현대를 살아가는 사람으로서 솔직한 감정으로 접근해 본다. 노동에는 귀천이 없지만 직업에는 귀천이 분명이 존재한다.

직업은 생계유지를 위해 어떤 일에 종사하는 것을 말한다. 일하는 것은 곧 노동을 뜻한다. 노동에 귀천이 없다면, 일로 이루어진 직업에도 귀천이 없어야 하는 것이 옳다. 하지만 그렇게 간단하게 정의할 문제가 아니다. 그럼, 이렇게 직업의 귀천을 가르는 잣대는 뭘까? 사회적인식이다. 귀천이 없다는 것은 도덕적기준이다. 동료들 회식자리에서 오고간 대화가 있다. 내 후임으로 입사한 사람에게 지금 하는 일에 만족하냐고 물었다. 친구는 일화를 소개하며 답을 한다. 입사 전 아파트경비를 하고 있을 때라고 한다. 재활용분류작업을 하고 있을 때, 초등학생남자아이를 데리고 지나가던 엄마가 하는 소리에 못들은 척 했지만 자존심이 상했다고 한다. "너도 공부 열심히 안하면 아저씨처럼 저런 일 하게 된다." 그래서 대기업 보안 팀으로 이직을 결심하게 됐다고 한다. 그 동료는 나 보다 3개월 늦게 입사했다. 과거에 대학 때까지 야구선수를 했다고 한다. 어깨 수술 후에 야구를 그만두었다고 한다. 자영업을 하다 망하고, 힘쓰는 일을 할 수 없어 경비직을 택했다고 한다. 나는 건설현장에서 안전망설치가 주 업무인 건설회사 사장과 한 조로 같은 일을 한 적이 있다. 분명한건 사장과 나는 동일한 일을 했기에 노동에 차이가 없었다. 하지만 사장과 건설노동자인 내 직업을 비교할 때 차이가 없다고 말할 수는 없다. 그러나 인간은 감정의 동물이다. 세상사를 논리적으로만 판단 할 필요는 없다. 내 직업관은 '일체유심조(一切唯心造)'다. 모든 일은 마음먹기에 달렸다는 뜻이다.

왜 사냐고 인생의 의미를 묻는다

어느 날 오랫동안 연락이 없던, 중국에 살고 있는 어릴 적 친구에게 전화가 왔다. 사업을 계획하고 있는데 도움이 필요하다고 했다. 전직신용금고회장이던 사람이 투자를 위해 중국에 오는데 함께 와 주었으면 좋겠다고 한다. 나도 사업할 때 만난 적이 있던 사람이다. 친구는 중국해남도에 살고 있다. 레슨프로자격을 받고 골프를 가르치고 있다. 그는 한국에 있을 때, 게임 사업으로 돈을 많이 벌었다. 당시에 내가 하던 사업이 힘들었을 때, 조건 없이 많은 돈을 투자해 준 친구다. 그러나 친구가 하던 사업이 불법사행성게임으로 규정되어 법적인 책임을 졌다. 그 동안 벌었던 많은 돈을 추징당했다. 그래서 내가 마련해준 기초자금을 갖고 중국으로 떠났다. 한 마디로 어떤 부탁을 하든, 서로 거절 할 수 없는 사이다. 나는 혹시 일이 잘되면 지금보다 더 낳은 일을 찾을 수 있겠다는 욕심도 생겼다. 경비직퇴사를 결정하고 중국으로 떠났다. 중국에 도착해서 바로 회의를 하고, 사업계획을 브리핑 받았다. 당시 한국에서 급부상하던 스크린골프를 중국현지에 적용하는 사업과, 초등학교나 중학교에 야외골프연습장을 무상으로 설치하고 방과 후에 골프레슨을 하는 구상이다. 궁극적으로 프로골퍼를 양성하는 계획까지 있다. 고민하고 노력한 흔적이 보인다. 그러나 나는 "공산주의국가에서 골프사업성공이 가능하다고?"하는 의문을 가졌다. 내가 투자하는 것은 아니니, 잠시 지켜보기로 했다. 평생 만져보지도 못할 큰 투자자금이 거론되는 걸 보며, 한편으로 "하루하루 가족의 생계를 책임져야 할 내가 여기서 뭐하고 있지?"하는 회의감도 들었다. 나는 친구에게 투자가 결정되면 언제든지 협조할거니 결과가 있으면 연락하라 말했다. 그리고 매일 걸어서 여행을 했다. 해남도는 동양의 하와이라고 불리는 중국최남단에 위치한 섬이다. 베트남, 필리핀과 인접해 있어 열대기후다. 우리나라 제주도와 같은 관광지다. 너무 더워 낮에는 걸어 다닐 수 없을 정도지만, 저녁시간 공원이나 바닷가산책은 만족스럽다. 사업진행은 무산됐다. 역시 경험 많은 사업가들이라 현명한 선택을 했다고 생각했다. 친구는 아쉽지만 남은기간 골프장투어나 하라며 봉투를 내민다. 나를 초청해준 친구 덕분에 새로운 세상을 경험했다.

이렇게 3개월간 중국여행을 마치고 한국에 돌아왔다. 더 이상 시간을 지체할 수 없어 직업소개소를 찾았다. 소개소대표는 공무원으로 30년 근무하고 은퇴했다고 자신을 소개했다. 그리고 커피를 한잔 내주며 인상도, 목소리도 좋은데 상담사를 해보겠냐는 제안을 했다. 투자 없이 할 수 있는 최고의 직업이라고 자랑한다. 상담사로 경험을 쌓고 직접 직업소개소를 창업하면 된다는 말을 덧붙인다. 본인도 그런 과정을 밟았다고 했다. 직업상담사는 프리랜서로 활동하며 사무실에 매월 일정금액의 임대료를 지불하면 활동할 수 있다. 예를 들어 소호사무실 책상하나를 임대해서 개인 사업을 하는 개념이다. 나는 바로 결정하고 일을 시작했다. 직업상담사는 일자리를 만들고 그것을 구직자에게 홍보하고 소개하는 과정이 흥미로운 직업이다. 젊은이들이 일자리를 찾으러 오면, 과거의 경험을 말하며 진심어린 인생 상담을 해주기도 했다. 가끔은 좋은 일자리를 찾아줘서 고맙다고 음료수를 사오는 사람도 있다. 이때는 내가 누군가에게 실질적 도움이 됐다는 생각에 보람을 느낀다. 어느 분야든 '상담'이라는 단어가 들어간 직업은, 누군가의 삶에 깊이 관여를 한다. 그래서 상담사에게 경청, 공감 그리고 사명감은 필수요소다. 삼 개월 정도 시간이 지났을 무렵 새로운 상담사가 들어왔다. 중학교교감을 하다 정년퇴직했다고 한다. 직업소개소창업을 위해 한수 배우러 왔다고 했다. 소개소는 직원들 끼리 자주 회식을 한다. 그러면서 정보와 노하우를 공유한다. 그래서 초보자도 빠르게 적응할 수 있는 장점이 있다. 어느 날 선생님이 하고 싶은 말이 있다며 함께 식사하자는 요청을 했다. 창업을 하려 하는데 혼자서는 부담스러우니 동업을 하자고 제안했다. 나도 언젠가 창업을 생각하고 있었기에 흔쾌히 수락했다. 선생님은 나보다 연장자지만 서로 예의를 갖추고 대하는 사이다. 창업과정에 대해 이미 많은 공부가 되어 있는 것 같다. 창업관련지식이나 정보가 많았다. 인력파견 사업으로 성공한 친구가 있는데 조언을 많이 받았다고 했다. 그리고 인력사무실은 혼자서 자금이나 업무량을 감당하기 어려워, 함께 일할 사람을 찾고 있었다고 한다. 나는 인력사무실을 통해 6개월간 건설현장에서 일한 경험이 있다. 그래서 운영시스템에 대해서는 잘 알고 있다. 그리고 선생님의 자상한 성품이 마음에 들었다. 나는 성공가능성을 꿈꾸며 공동창업에 동의했다. 취업센터와 인력사무실이 어떤 차이냐고 묻는 사람이 있다. 취업센터, 인력사무실 모두 직업소개소에 속한다. 다만, 역할에 따라 상호는 자유롭게 정할 수 있다. 취업센터는 일자리가 필요한 구직자에게 장기적으로 일할 수 있는 직업을 알선한다. 법적으로 정해진 범위에서 융통성 있게 수수료를 받는다. 그리고 전문 인력을 확보해 놓고 공장, 건설현장, 식당, 가사도우미 등 일시적으로 사람을 필요로 하는 곳에 인력을 파견하는 사업체가 있다. 이 업체는 일당제 즉, 당일에 임금을 지급하는 제도로 일당의 10%를 수수료를 받는다. 때로는 구인자에게 별도로 돈을 받는 경우도 있어 수입이 늘어 날수 있다. 이런 일이 중심인 곳은 인력, 파출이라는 상호를 사용한다. 때로는 취업과 인력 두 가지 업무를 병행할 수도 있다. 이 사업에 대해 모르는 사람은 건설인력파견으로 얼마나 수익이 있다고 하는 의문을 가질 수도 있다. 건설 붐이 있었던 한때는, 사무실을 임대해서 3년만 지나면 그 건물 주인이 된다는 속설이 있을 정도로 괜찮은 사업이었다.

우리는 서로 필요한 자금을 투자하고 충분히 넓은 사무실을 임대했다. 선생님을 대표로 사업허가를 받고, 나는 소장직책으로 일을 시작했다. 인천의 한 지명을 딴 인력개발이라는 상호로 그 동안의 경험을 살려 취업과 인력을 병행하는 사업을 하기로 결정했다. 서로 힘을 모아 많은 노력을 했다. 지하철광고판, 정보지광고, 전단지를 통해 전문 인력을 모집했다. 그리고 매일 건설회사현장소장을 만났다. 공장이나 아웃소싱사무실을 찾아다니며 일자리를 만들었다. 사업은 생각보다 빠르게 성장했다. 특별한 행운은 때론 불행의 시작일수 있다. 사업이 안정적으로 성장하고 있는 중에 행운이 연속 찾아왔다. 당시 산업도시로 날로 발전되고 있는 지방의 한 인력사무실에서 전화가 왔다. 정보지광고를 보고 전화를 했다고 한다. 건설인력이 많이 필요해 전국적으로 사람을 모집한다고 했다. 숙소가 준비되어 있으니 장기적으로 일할 사람들을 보내달라고 했다. 우리는 바로 현장답사를 위해 방문했다. 인력사무실은 하루에 200명 이상 건설현장에 투입되고, 숙소는 친척이 운영하는 원룸건물이었다. 천운이라 생각했다. 한곳에 사람을 보내는 것만으로 충분히 사무실을 운영할 수 있는 수입이 지속되었다. 그러나 그것도 한 시절이었다. 문제가 발생하기 시작했다. 우리가 보내 사람들이 하루가 멀다하게 사고를 친다. 거칠고 개성이 강한 사람들이 한곳에 살다보니 다툼이 자주 일어났다. 술 취한 사람끼리 폭행사건이 발생했다. 누군가는 원룸기물을 부순다. 심지어 침구류에 불을 질러 소방차를 출동하게 하는 정신병적인 사람도 있었다. 이러하니 사람들을 보낸 우리사무실과 숙소사장은 관공서의 경계대상이 되었다. 얼마 후에 원룸을 불법적으로 활용했다는 이유로 영업정지처분을 받았다. 숙소가 없으니 더 이상 사람을 보낼 수 없었다. 하루아침에 주 수입원이 사라졌다.

하루는 거래처인 건설시공업체사장이 찾아왔다. 그 동안 건설기능공만 찾던 사장이다. 결재도 잘하고 예의바른 사람이었다. 서울에 오피스텔 두 동을 건설하는데 사람을 보내 달라고 했다. 일반 인력은 현장인근 인력사무실에서 구하면 되고, 기능공은 그동안 함께 일했던 사람들이 필요하다고 했다. 하루 최소 30명이 필요하다고 한다. 기능공은 상대적으로 인권비가 높다. 이런 경우는 사업자로서 큰 기회다. 인건비는 일주일에 한번 결재로 계약을 체결했다. 일당제는 사무실에서 매일 돈을 주어야 한다. 그러나 현장에서는 빠르면 일주일, 한 달, 길면 3개월 결재다. 그러다 보니 사무실에는 충분한 자금이 확보되어 있어야 한다. 한 달간은 약속이 잘 지켜졌다. 그런데 어느 날 부터 약속이 지켜지지 않는다. 3개월이 지났다. 자신도 건설회사에서 아직 돈을 못 받았다고 변명을 한다. 마무리를 해야 하는데 마지막까지 도와달라고 했다. 그런데 문제는 현재 자금이 바닥이다. 내 힘으로는 더 이상 자금을 만들 수가 없다. 대표는 그 사장은 믿을 만한 사람이니 본인이 돈을 만들어 보겠다고 했다. 교감선생님 출신다운 넓은 마음씨다. 결국 계속 사람을 보냈지만 끝내 돈을 받지 못했다. 평범한 사업가에게는 큰 금액이다. 대표는 많은 돈이 묶여있는데 어떤 불만도 말하지 않았다. 나도 끝까지 시공사사장을 믿었다. 전화통화로 당신 덕분에 더 이상 사무실을 유지할 수 없다는 하소연을 하며 기다리겠다고 말했다. 사장은 미안하다고 말하며 자신을 끝까지 믿어 달라고 한다. 이제 자금은 바닥났고, 사무실유지가 불가능했다. 그리고 대표가 더 이상 피해를 보는 것을 볼 수 없었다. 나는 실무에 대한 책임을 지고 그 동안 투자했던 모든 기득권을 포기했다. 앞으로 받을 돈은 모두 대표 몫으로 하고 떠나기로 결심했다. 또 텅 빈 그릇이 됐다. 그러나 돈을 받기 위한 노력은 계속했다. 이후 대표는 규모가 작은 사무실로 이전해서 인력사무실을 취업센터로 상호를 바꾸고 사업을 지속했다. 일 년 후 그 동안 받지 못한 돈을 다 받았다. 선생님은 전화통화로 나에게 고맙다는 말을 했지만, 대표의 사심 없는 믿음이 복을 준거라 생각했다. 나는 이미 인천에서 서울로 이사를 하고 직업소개소상담사로 새 출발해서 재기를 꿈꾸고 있었다. "또, 그 일이야?" 누군가 묻는다. 생활의 안정을 위해 익숙함에서 벗어나기 힘들었다. 익숙함은 일상이 편안함 속에 있다는 것을 의미한다. 편안함 속에 있다 보면 새로움을 찾아 도전하는 일이 점차 줄어든다. 우리는 흔히 왜 사냐고 인생의 의미를 묻는다. 무슨 의미가 있겠는가? 그냥 사는 거다.

행복은 마음이 만족한 상태다

"이제, 보이는 구나!" 내 눈에 아름다운 풍경이 보인다. 깨끗한 물소리가 들린다. 그럼, 지금까지 나는 어떤 삶을 살아온 것인가? 그동안 오직 먹고 살기위해 눈 가리고, 귀 막고 주변을 돌아볼 수 없는 각박한 삶을 살았다. 산과 바다가 보인다. 하늘과 구름도 보인다. 그리고 계곡물이 여유롭게 흐르는 소리도 들린다. 오랜 세월 느껴지고 보이지 않았던, 자연이 보이고 느껴진다. 얼마 만에 누려보는 여유와 자유인가.

나는 의상버스기사다. 생소한 직업이라 생각 할 수도 있다. 방송이나 영화계에 있는 직업이다. 의상버스는 45인승버스를 의상실 형태로 개조한 거다. 배역에 필요한 의상을 보관하고 배우들 환복 장소로 쓰인다. 나는 먼저 드라마촬영장에서 두 달간 일을 했다. 공식적으로 영화는 첫 작품참여다. 나는 의상 팀을 보조하는 역할을 한다. 의상 팀은 배우들 의상을 만들고, 관리하고, 코디하는 일을 한다. 젊은 사람들과 친구처럼 동등한 위치에서 함께 일하는 것이 즐겁다. 내 임무는 의상을 실은 버스를 전국에 있는 야외촬영장으로 이동시키고, 전기사용을 위해 설치된 발전기를 관리하는 일이다. 촬영시작 전에 도착해서 의상 팀이 일할 수 있게 준비를 해야 한다. 만일 예상하지 못한 사고나 고장이 발생할 경우 촬영이 지연되거나 취소된다. 늘 긴장상태를 유지해야 한다. 특히 산길이나 시골길에서 목적지를 찾지 못할 경우, 버스를 돌릴 수 없어 난감해 진다. 그래서 충분한 시간을 갖고 이동해야 한다. 몇 번의 고비가 있었지만 다행히 촬영에 지장을 초래한 일은 없었다. 촬영 장소는 전국 경치 좋고, 물 맑은 명소나 관광지에 있다. 이동시 긴장감은 있지만 도착하면 막혔던 가슴이 뚫리는 만족감이 있다. 나는 행복은 마음이 만족한 상태라고 생각한다. 지금이 오랜만에 느끼는 그런 상태다.

나는 이 일을 시작하기 전에 취업센터대표였다. 그동안 직업상담사로 경험을 쌓고 직업소개소를 창업했다. 외국인만 전문으로 하는 직업소개소였다. 일반인이이 창업을 하려면 기간과 경력이 필요하다. 상담보조원으로 2년이 지나야 상담원이 된다. 상담원으로 2년이 지나면 창업을 할 수 있다. 총 4년 이상이 필요하다. 이런 경력이 없어도 공무원, 교사, 직업군인으로 퇴직한 경우, 그리고 사회복지사, 직업상담사 자격증이 있는 경우도 가능하다. 구청에 허가신청을 하면 신원조회, 서류심사, 사무실실사 등의 절차를 거쳐 허가해 준다. 구직자나 구인자를 위해 정부에서 할 일을 위임 받은 사업이라 수입에 대한 세금이 없다. 하지만 관할구청의 문서관리 점검, 정기교육, 규정과 지시를 따라야 하는 번거로움도 있다. 나는 창업하기 3년 전 인천에서 인력파견 사업을 실패하고, 서울로 와서 직업소개소상담사로 일을 하며 창업자금을 마련했다. 이러한 경험이 있기에 전문성에서는 자신이 있었다. 처음에는 특정국가통역사 1명과 시작을 했지만, 빠른 시간에 사업이 번창해 통역사 3명을 추가로 고용했다. 그리고 프리랜서직업상담사 5명이 사무실에 등록했다. 그래서 나를 포함 10명의 구성원이 되었다. 직원들은 각자의 역할에 충실해 사무실임대료와 인건비를 제외하고도 충분한 수입이 있었다. 그런데 기쁨도 잠시였다. 어느 날 예상치 못한 코로나가 발생했다. 처음에는 그리 오래갈 거라 생각 못하고 계속 버텼다. 시간이 지날수록 외국인 입국이 막히고, 국내거주외국인들 또한 이동을 하지 않았다. 생계유지가 곤란한 프리랜서상담사들은 각자 다른 직업을 찾아 떠났다. 나는 혹시 하는 마음에 통역직원들과 조금 더 기다려 보기로 했다. 잘못된 판단이었다. 주변지역직업소개소 반 이상이 문을 닫았다. 더 이상 버틸 힘을 잃었다. 비과세사업자라 정부지원금도 없다. 직원급여와 사무실임대료를 위해, 그동안 투자했던 반 토막 난 모든 주식을 처분할 수밖에 없었다. 주식은 반드시 여유자금으로 해야 한다는 교훈을 다시금 깨달았다. 직원들에게 이제는 폐업이 답이라는 설명과 함께 밀린 급여를 지급하고 이별했다. 이제는 사무실보증금도 바닥이고, 은행대출금과 신용카드도 막을 수 없는 지경이다. 서둘러 구청에 폐업신고를 하고 사무실을 정리했다. 아쉬웠지만 모든 정리가 끝나고 나니 마음은 홀가분했다. 인간은 두 주먹 불끈 쥐고 태어났지만 빈손으로 가는 거다. 무소유가 내게는 두려움이 아니다. 법정스님이 한 말이다. " 무소유는 아무 것도 갖지 않는다는 것이 아니고, 불필요한 것을 갖지 않는다는 뜻이다." 이제 반복되는 패배감이나 아쉬움 같은 불필요한 감정을 버려야 한다. 우선은 당분가 쉬면서 차분하게 정리하자고 마음을 굳혔다. 은행과 카드사에서 독촉전화가 온다. 과거의 더 큰 경험이 나를 침착하게 만든다. 신용불량이 되기 직전에 다시 신용회복위원회에 도움을 청했다. 다행히 받아들여져 은행과 카드사부채는 3년 동안 분할납부로 결정됐다. 과거 위원회도움을 받아 채무를 연채 없이 성실하게 납부하고 신용을 회복한 이력이 도움이 됐다. 역시 신용이 우선인 사회다.

오랜만에 기분전환을 위해 직원들과 다니던 당구장에 갔다. 단골인 당구장은 모두가 동네 선, 후배나 친구다. 그런데 평소에 알고는 지냈지만 그리 친하지는 않았던 친구가, 당구를 끝내고 식사를 하자고 제안했다. 친구는 식사와 소주 한 잔을 하면서 서로 동갑이니 친하게 지내자고 한다. 흔쾌히 수락하고 단골호프집으로 안내했다. 친구는 내가 사무실을 폐업했다는 걸 이미 알고 있었다. 나는 친구가 영화와 관련된 일을 한다는 소문을 들었다. 그는 준비된 사업이 없으면 영화촬영장에 필요한 버스임대사업을 해보라고 제안했다. 나이가 들어서도 할 수 있는 일이라고 한다. 자신도 이미 버스를 매입하고, 기사를 고용해 일을 시작했다고 한다. 앞으로 내가 해야 할 일을 친절하게 얘기했다. 먼저 버스운전을 위해 1종 대형면허시험에 합격하고 도로연수를 받아야 한다. 처음에는 경험을 쌓아야하니 먼저 월급제기사를 하면 된다. 그리고 중고버스를 구입하고 용도에 맞게 개조해야 한다. 일자리는 인맥이 필요하니 자신이 도와주겠다고 했다. 흥미로운 제안이라 친구에게 고마운 마음을 전했다.

나는 무일푼처지에 어떻게 시작할까를 고민했다. 그래도 "한번 도전해 보자."라는 결심을 하고, 종자돈 만들 계획을 세웠다. 장작불을 만들려면 불소시게가 필요하고, 지하수를 펌프질로 끌어 올리려면 마중물이 필요하다. 사업실패가 반복되니 돈도, 명예도, 사랑도, 우정도 함께 떠났다. 나는 욕심 없이 베풀며 살았다고 생각했는데, 더 이상 가망 없다고 판단했는지 주변사람이 하나 둘 떠난다. 내 탓이니 원망은 없다. 이래도 한세상, 저래도 한세상 미련 버리고 순리대로 살면 그만이다. 이제는 사업자금을 구할 곳도 없다. "내가 돈이 없지, 가오가 없나."라는 영화대사를 떠올려 본다. 직업상담을 할 때 일자리를 찾아온 고객이 간혹 농담을 던진다. "일 편하고 돈 많이 받는 일자리 있습니까?" "그런 일자리 있으면 내가 가지 왜 남에게 소개합니까?"라며 웃음으로 대응한다. 직업은 좋은 일자리, 나쁜 일자리로 구분하는 것이 아니다. 어떤 직업이든 일을 하고 그에 상응하는 공정한 대우를 받는 일자리가 좋은 일자리다. 취업센터를 운영했기에 마땅한 직업을 찾는 건 어려운 일이 아닐 거라 생각했다. 내 연령대에 맞는 곳에 이력서를 보냈고 기다렸다. 대기업 물류창고, 대사관경비직, 원예농장 관리, 대학병원야간청소와 방역이다. 큰 회사는 직원을 직접고용하지 않는다. 아웃소싱이라는 대행사를 통해야 한다. 제일 먼저 물류창고에서 전화가 왔다. 직원은 나이를 물어보고 "죄송합니다." "그 연세에 하실 수 있는 일이 아닙니다." 나는 직감적으로 안다. 연세라는 높인 말이 나오면 불합격이라는 걸, 그래도 한마디 했다. "택배물건 분류하는 일이 나이랑 뭔 상관입니까?" "나 아직 힘 좋아요." "여직원이 웃으면서 대답한다." "그런 일은 여자들이 주로 하고 남자들은 상, 하차입니다." "하루 종일 차에 싣고, 내리고 하는 일이라 젊은 사람들도 못 견뎌 주로 외국인노동자들이 합니다." 더 이상 할 말이 없었다. 사실 제일 하고 싶었던 일은 대사관경비직이었다. 나는 경비업무에 대한 실무경험이 있고, 영어와 중국어는 일상적인 대화가 가능하다. 그런데 며칠이 지나도 전화가 없다. 내가 먼저 전화를 했다. 경비반장이 전화를 받는다. "경비직지원한 사람입니다." 지원자가 많았는지 기억도 못한다. 역시 나이부터 묻는다. "죄송하지만 어렵습니다." "구인광고에는 나이 제한 없다고 했는데요." "여기는 다른 경비직하고는 다릅니다." "올해 선생님과 같은 나이인 분이 정년퇴직하십니다." "구인광고에 나이 제한 두면 법적으로 걸립니다."라며 안 되는 이유를 친절하게 설명했다. 맞는 말이다. 구인광고에는 성별, 나이, 학력, 외모에 관한 구체적 내용을 기재해서는 안 된다. 알면서도 괜히 투정을 부려 본 거다. "예 알겠습니다." 대답하고, 바로 원예농장에 전화를 했다. 원예일은 진심으로 배워보고 싶었다. 생전에 아버지가 이런 일을 잘했다. 돌 모으기, 정원 꾸미기, 텃밭 가꾸기, 화분 분갈이다. 나도 노후에 전원주택에서 그렇게 살고 싶었다. 혹시 했더니, 역시 같은 결과다. 20~40Kg 흙 포대와 거름포대를 날라야 하는 일이라 했다. 귀농을 원하는 젊은 사람들도 처음에는 의욕적으로 왔다가, 얼마 지나지 않아 그만둔다고 했다. 마지막 하나 남았다. 대학병원에서 야간에 청소와 방역을 하는 일이다. 내가 먼저 연락을 했다. 예상외로 아무 것도 물어보지 않고 면접을 보자고 한다. 병원에 도착하니 부소장직책인 내 또래 여자가 기다리고 있었다. 한참 쳐다만 보고 질문도 없다. "키가 큰 분이 와주시면 고맙죠." "전철로 출, 퇴근 가능하신가요?" 살고 있는 동네만 물어보고, 바로 출근하라고 했다. 이미 이력서를 본 것 같다. 직업소개소경력이 있으니 직원이 필요할 때 도와 달라고 한마디 더한다. 될 때 까지 두드리니 문이 열린다. 이렇게 종자돈 마련을 위해 내 영혼을 담은 노력이 시작됐다. 성철스님 말이다. "너무 걱정하지마라." "걱정할 거면 딱 두 가지만 해라." "지금 아픈가?" "안 아픈가?" 내 종교는 기독교인데 성경보다 스님들 말씀을 더 많이 기억하고 있다. 나는 지금 건강하기에 걱정할 게 없다.

용기가 필요했던 새로운 도전

글을 시작하면서 생각난 말이다. "작심삼일" "시작이 반이다." 누구나 한번 이상 실패와 좌절을 겪는다. 어떤 일이 됐든 재도전의 기회가 주어진다. 노력해서 찾으면 할 수 있는 일자리가 많다. 용기 있게 도전하면 누구나 할 수 있다. 그러나 새로운 도전은 늘 두려움이 따른다. 그래서 용기가 필요하다. 나는 용기내서 두려움을 극복하기 위해 노력했다. 하지만 그 과정이 쉽지는 않았다. "돈이 뭐라고 이런 일 까지 해야 하나?" 어리석은 생각도 해봤다. 함께 땀 흘리며 고생했던 동료들을 생각하면 더욱 반성이 된다. 막걸리한 잔 나누며 주고받는 각자의 인생얘기는 진솔했다.

첫 출근이다. 다행히 전철역근처라 출, 퇴근이 편리하다. 근무시간은 오후 10시부터 새벽 6시까지다. 나는 오후 9시에 도착해서 먼저 사무실로 갔다. 소장과 인사를 나누고 유니폼을 지급 받았다. 첫날 계약서를 작성하는 걸로 알았는데, 3일 후에 한다고 했다. 그 전에 그만두는 사람이 많아서 그렇게 한다고 말했다. 이래서 '작심삼일'이란 말이 생긴 것 같다. 오후 9시 30분, 조회가 시작됐다. 전체 인원은 50명 정도다. 구성원의 연령대는 대부분 40세 이상이다. 남자는 10명 정도고 나머지가 여성이다. 전체 3개 조로 운영되는데 오전반, 오후반, 야간반이다. 업무역할은 대청소 팀, 방역 팀, 병실담당, 재활용창고담당으로 구성된다. 나는 남자직원이 주축인 야간반 대청소 팀에 소속되었다. 대청소 팀은 반장포함 남자 6명, 여자 2명이다. 내가 알고 있는 병원청소는 진료 차 방문했을 때 본 게 전부다. 여유롭게 대걸레질하는 아주머니와 쓰레기통 비우는 아저씨다. 대청소 팀이 어렵다는 말은 들었지만, 이렇게 힘든 일이란 걸 상상도 못했다. 우리 팀은 주 업무가 왁스작업이다. 병실에 있는 집기류를 빼내고 왁스작업이 끝나면 다시 원위치 시켜야한다. 집기류이동은 제일 힘이 많은 드는 작업이다. 다음은 병실과 복도전체 바닥먼지를 제거한다. 청소가 끝나면 바닥에 세제를 바른다. 그리고 '돌돌이'라는 전동세척기로 바닥 묵은 때를 제거한다. 다음에는 비누물이 굳기 전에 3명이 순서대로 대걸레로 물기를 닦아낸다. 그리고 대형선풍기를 이용해 바닥을 건조시킨다. 바닥이 다 마르면 왁스작업을 하는데, 보통 3회 이상 도포한다. 마지막에는 출입을 차단하고 왁스가 마르기를 기다린다. 왁스가 마르는 동안 복도나 현관청소를 한다. 야간에는 방역 팀원이 부족해 대청소반에서 지원을 한다. 방역은 코로나환자가 내원했을 때와 사망자가 나왔을 경우다. 호출이 오면 방역복장을 착용하고, 그 동선을 방역기로 소독한다. 소독이 끝나면 대걸레와 손걸레로 바닥과 벽을 닦아낸다. 뉴스를 보고 코로나사망자가 많이 나온다는 걸 알고 있었다. 하지만 실상 주변에서 흔히 있는 일이 아니라 무관심했다. 그런데 근무하는 동안 하루에 한명 이상 사망자가 있었다. 두 시간 후 왁스가 마르면 미리 스티커로 마킹해 둔 곳을 찾아 모든 집기류를 원위치 시켜야한다. 침대는 바퀴가 있어 이동할 때 힘들지 않다. 그런데 소파나 4인용 철제의자와 가구는 힘이 많이 든다. 왁스작업한 곳의 손상을 우려해 바퀴달린 이동수단을 사용할 수가 없다. 특히 초보자는 요령이 부족해 더욱 힘든 일이다. 야식시간 한 시간을 빼고 공식적으로 쉬는 시간이 없다. 선배들은 담배를 피기 위해 간간이 사라지는 경우도 있다. 어떻게 시간이 흘렀는지 퇴근시간이다. 성취감도 있었지만 온몸이 욱신거린다. 빨리 쉬고 싶은 생각뿐이다. 아침에 퇴근해 집에 도착하자, 바로 잠이 들었다. 깨어나니 곧 출근준비를 해야 할 시간이다. 그 동안 불면증 때문에 고생했는데 오랜만에 꿀잠을 잤다.

어느 집단이나 모이면 편이 갈린다. 3일째 근무가 끝날 무렵, 동료가 퇴근하면 자신을 따라 오라 했다. 오전 7시경, 감자탕이 주 메뉴인 식당에 도착했다. 대청소 팀, 방역 팀 남자직원들이 다 모여다. 그 중 선임자가 나를 지칭하며 입사를 축하한다고 말했다. 3일 이상 지나야 식구로 인정하고 식사를 함께 한다는 말도 곁들인다. 그런데 남자직원은 다 모인 것 같은데 반장이 보이지 않았다. 남자

반장은 대청소 팀을 포함 모든 남자직원을 대표하는 직책이다. 상대적으로 인원이 많은 여자반장이 선임역할을 하지만, 그래도 많은 권한이 있다. 모임을 주도한 선임자에게 물었다. "반장님은 안 오셨네요?" 그러자 씩 웃기만 하고, 옆에 있던 선배가 대신 거든다. "술 맛 떨어지니, 그 사람 말도 꺼내지 말아요."라며 독설을 뿜는다. 나는 직감적으로 "뭔가 있구나."라고 생각했다. 그러면서 그는 말을 이어갔다. 그 동안은 정기적인 회식이 있었다. 그런데 회식 자리에서 오간 대화가 회사에 보고되어 큰 소란이 있었다. 모두가 현재 반장을 의심하고 있다. 이런 이유로 자신이 3년 먼저 입사했는데, 반장이 먼저 승진을 했다. 그런데, 내가 결정권자라 해도 현재의 반장을 선택했을 것 같다. 그는 일머리가 뛰어나고 빈틈없는 사람이다. 그 사건 이후 정기적 회식이 없어지고 아름아름 모인다고 했다.

3일이 지나니 일도 제법 익숙해지고 힘도 덜 들었다. "시작이 반이다."라는 뜻을 알 것 같다. 밤 12시, 야식을 마치고 반장이 처음 개인적으로 말을 걸어왔다. 정문 앞 흡연실에서 만나자고 했다. 어제 회식 있었냐고 묻는다. 누군가 회식자리 얘기를 전달한 것 같다. 순간 당황했지만 거짓말을 할 수는 없었다. 어느 조직이던 박쥐 같은 인간이 있다. 반장의 물음에 회식이 있었다고 대답했다. 반장은 이런저런 말 믿지 말라고 했다. 그리고 직접 일을 가르쳐 줄 테니 형처럼 생각하라고 한다. 반장은 나보다 4년 연장자다. 그는 미국에 이민 가서 15년 동안 살다가 5년 전에 돌아 왔다고 한다. 나는 그 세월이면 자리를 잡았을 텐데, 왜 돌아 왔냐고 물었다. 부인과 성격차로 헤어지고 한국에 돌아와 어머니를 모시고 산다고 했다. 그런데 살고 있던 빌라에 어머니 실수로 불이 났다고 한다. 인명 피해는 없었지만 이웃에도 피해를 줘 배상금으로 많은 돈을 썼다고 한다. 일을 시작한지 5년 됐는데, 10년 채우는 것이 목표라 했다. 세상에 사연 없는 사람은 없다. 반장과 서로 소통하고부터 편한 사이가 되었다.

남, 여가 섞여 있는 조직은 서로 친해지기 위해 호감표시를 하는 경우가 많다. 특히 남자가 귀한 단체는 더 많은 관심을 받는다. 시선이 집중되어 평소보다 바르게 생활해야 하는 부담도 있다. 어느 날 퇴근시간에 샤워를 마치고 옷을 갈아입고 있었다. 동료가 한잔하자는 의미로 손목을 꺾는 사인을 보냈다. 그 뜻은 오늘은 둘이서만 만나자는 약속 된 표시다. 동료는 1년 먼저 입사한 선배지만 친구관계다. 그는 오랫동안 청과물시장에서 과일도매상을 하다 은퇴했다고 한다. 술과 친구를 좋아해 돈은 못 벌었다고 했다. 그래도 강남에 산다. 단골식당에 닭볶음탕을 미리 주문해 놓았다. 술 분위기가 무르익을 무렵 친구가 말을 건다. 이제 3개월이 되어 가는데 진짜 퇴사 하냐고 물었다. 친구에게만 다음 계획을 말한 적이 있다. 그는 조심스럽게 말을 이어갔다. 어떤 여직원이 내 신상에 대해 물어 봤다고 한다. 친하긴 해도 사생활은 모른다며 답변을 피했다고 한다. 그 여성이 내게 관심이 있는데, 아직 말을 걸지 못했다고 한다. 그런데 누군지 기억에 없다. 내가 친하게 지낸 여성은 한 명 뿐이었다. 그 외에는 개인적으로 대화를 나눈 상대는 없다. 대청소 팀에 나보다 하루 늦게 합류한 여성이다. 작업을 하기위해 이동을 하면서 인사를 나누었다. 그리고 "내가 하루 선배니 잘 모시세요."라고 농담을 했다. 그녀는 웃으며 "나는 다른 부서에서 3년 일하고 이쪽으로 옮겼어요."라고 대답했다. 나는 바로 "아이쿠! 선배님을 몰라 봤습니다."라며 재미를 주었다. 그 후로 4살 아래인 그녀와 오누이처럼 친해져 함께 일하며 많은 대화를 나누던 사이다. 그녀가 내가 일하는 곳 마다 따라 다니는 걸 반장이 눈치 채고, 다른 일감을 주며 떼어 놓았다. 그럼에도 다시 내 곁으로 다가오니 반장도 포기한 상태다. 성격이 밝아 제멋대로 행동해도 누구도 미워할 수 없었다. 두 달 정도 함께 일한 후 식당을 개업한다고 퇴사했다. "많은 사람 중에 친하게 지냈던 사람은 한명 뿐인데."라고 말했다. 우리 팀이 아니고, 다른 팀이라고 했다. 그러면 기억이 난다. 내가 일하는 장소에 가끔 나타나, 누구 통제도 받지 않고 건성건성 계단난간을 마른수건으로 닦는 여자가 있었다. 승용차로 출, 퇴근을 하는데, 고급차여서 눈길이 갔다. 유니폼을 입었을 때는 몰랐는데, 퇴근 때는 단정한 용모다. 병원 내에 일식당이 있었다. 코로나 여파로 폐업을 했다. 병원에서는 방역 팀을 신설해 식당직원을 우선 채용했다. 그녀는 식당직원 중에 한명이었다. 나는 그 사실을 이미 알고 있었다. 그녀와 대화는 없었지만 자주 마주쳤다. 내게 늘 웃으면서 인사를 했다. 친구에게 말했다. "곧 사직서 내는데 이제 말 하냐?" 친구는 대답한다. "이렇게 빨리 그만둘지 누가 알았냐?" "인연이 있으면 또 만나겠지."하며 무심하게 말한다.

나는 잠시 생각했다. "말을 걸면 되지, 왜 맴돌기만 했을까?" 의사전달의 중요한 매체는 말과 글이다. 매체를 통해 상대방에게 생각을 전달하고 공유한다. 이것을 우리는 소통이라고 한다. 소통이 서툴거나, 용기 없는 사람들이 자주하는 말이다. 나도 그 부류에 속한다. "꼭 말로 해야 아나?" "내 마음을 왜 몰라주지?" 이런 말투는 오해를 만드는 언어다. 자신의 마음도 모르는데, 어떻게 남의 마음을 안단 말인가? 그것은 독심술이라는 특수영역이다. 그래서 "용기 있는 사람이 미인을 얻는다."는 말이 명언이 되었다. 코로나가 종식되면 방역 팀이 없어지고, 부서개편이 있을 거라 한다. 다음 계획을 위해 3개월간 좋은 경험과 추억을 쌓고 퇴사했다.

세상에 영원한 것은 없다

“태어날 때 가난한 것은 당신 잘못이 아니지만, 죽을 때 가난한 것은 당신 잘못이다.” 빌 게이츠가 한 말이다. 돈 생각을 떨쳐내는 유일한 방법은 돈을 많이 갖는 거다. 아끼고 모으면 큰 부자는 몰라도 작은 부자는 될 수 있다. 나는 다양한 일을 하면서 돈을 모으는 단순한 원리를 알았다. 끊임없이 일하는 거다. 그러다 보면 돈 쓸 시간이 없어 모을 수밖에 없다. 이제 버스운전을 위한 면허를 받아야 한다. 면허를 받기에 내게는 큰 약점이 하나 있다. 나는 운전면허가 없다. 10년 전 음주운전으로 면허가 취소된 후 운전을 안했기 때문이다. 속죄의 마음으로 그 동안 면허증을 취득하지 않았다. 그리고 대중교통에 익숙해져 필요성을 느끼지도 못했다. 운전면허시험을 위해 학원에 등록했다. 월요일부터 교육을 받고 필기시험에 합격하면 실습을 하고, 토요일 실기시험을 보는 과정이다. 학원수업 전에 며칠 정도 여유시간이 생겼다. 면허증을 받고 시내연수를 마칠 때까지 한 달 정도 기간이 필요하다. 그동안 할 일을 찾아야 했다.

어느 날 직업소개소를 운영하는 선배초대로 모임에 참석했다. 나를 친동생처럼 생각하고 아껴주는 분이다. 자신의 사무실에서 다시 일을 시작해 보라고 권했다. 사실 내가 원했던 말이다. 그렇지 않아도 남는 시간에 출근 할 사무실이 없어 고민했다. "바로 출근 할 테니, 책상 하나만 준비해 주세요." "오늘 술은 제가 삽니다." 했더니 선배도 좋아한다. 분위기가 무르익을 무렵 밖에서 큰소리가 들린다. 어느 동네건 한명씩 있다는 '용팔이'라 불리는 사람이 나타났다. 나와는 종친 관계고 연장자라 내가 형이라고 부른다. 당연하듯이 우리 일행이 있는 자리에 합석했다. 어떤 모임이건 나서서 분위기를 이끄는 사람이다. 그는 취기가 오르면 "내가 왕손이야."라고 큰 소리를 친다. 술값도 잘 내고 분위기를 돋아주니, 모두 인정하는 분위기다. 이럴 때면 종친인 나도 왕손대접을 받는다. 그는 개인사업자로 30년 경력 산업용보일러기술자다. 산업용보일러는 공장에서 쓰는 고가의 대형보일러를 말한다. 중고보일러매매로도 많은 수입이 있다고 스스로 자랑한다. 술을 권하기 위해 옆자리로 옮겼다. 시간 있으면 보일러를 설치할 때 도와 달라고 했다. 과거에 한 번 일을 함께 한 경험이 있다. 일이 불규칙적이라 직원을 고용하기 부담스럽다고 했다. 나는 일이 있을 때 연락하라고 대답했다. 오늘 모임에서 일 자리가 두 개나 생겼다.

일주간의 운전교육이 끝나고 토요일 실기시험이다. 교육을 받을 때는 생각보다 어렵지 않았다. 당연히 합격할거라 생각했다. 그러나 너무 오랫동안 운전을 안 해서 그런지, 긴장한 탓에 시동이 꺼져 실격됐다. 시간과 돈이 더 필요했다. 4시간을 추가로 실습하고 시험을 봤다. 다행히 2차에서는 우수한 성적으로 합격했다. 그러나 버스는 면허증이 있다고 바로 시내주행을 할 수 없다. 도로 연수하는 곳을 찾아 일주일간 연수를 받았다. 하지만 혼자서 시내운전이나 장거리이동은 아직 불가능하다. 운전경력이 더 필요했다. 돈을 벌면서 경력을 쌓는 계획을 실행에 옮겼다. 내 계획은 마을버스나 택시를 하는 거다. 채용공고를 낸 마을버스회사에 이력서를 보냈다. 동시에 호출택시를 운영하는 플랫폼회사에도 보냈다. 마을버스는 한명을 뽑는데 버스운송자격증을 가진 1년 이상 경력자를 원했다. 나는 당연히 해당사항이 없다. "나 같은 초보자를 가르쳐서 쓸 필요가 있겠는가?" 버스회사취업은 포기했다. 다행히 택시회사에서 면접을 보자고 연락이 왔다. 면접을 가니 백 명 정도의 인원이 대기하고 있다. 면접에서 몇 가지 질문에 막힘없이 대답했다. 며칠 후 합격했다는 문자를 받았다. 교육을 받으러 오라고 했다. 교육에 참석하니, 50개 정도의 좌석이 다 차 있었다. 교육은 3일간 계속됐다. 내가 아는 일반택시회사와 운영방식이 많이 달랐다. 서울 여러 곳에 차고지가 있는데 체인점처럼 확장해 가는 회사다. 운전기사를 미리 선발해 놓고 연고지와 가까운 곳에 순서대로 배치하는 시스템이다. 일주 후에 출근하라고 연락이 왔다. 출근은 해야 하는데 운전경력이 없어 자신감이 떨어진다. 그러나 실전이니 프로답게 운전을 해야 한다고 생각했다. "자전거 탈 때 마다 배우나?" 주말을 이용해 운전할 택시와 같은 11인승 차량을 렌트했다. 서울, 인천을 몇 번 왕복하니 자신감이 생겼다.

첫 출근이다. 야간 반이라 오후 2시경 출근했다. 내가 배치된 곳은 교통편이 불편해 택시를 타야했다. 택시운행은 주간반, 야간반, 종일반 3가지로 구분된다. 보통은 차량 1대에 2명이 주, 야간 교대한다. 그러나 종일운행은 교대가 없어 근무시간이 자유롭다. 종일반은 경력자에게 우선권이 있다. 수입은 많으나 장시간을 운행해야한다. 체력소모가 크다. 그래서 돈을 빨리 벌고 싶은 젊은 기사들이 선호한다. 운행 전에 차고지를 담당하는 부장에게 교육을 받았다. 택시운행을 안 해 본 것 같다. 질문을 해도 아는 것이 없다. 다른 기사에게 물어보란 말만 되풀이한다. 무작정 택시를 끌고 나갔다. 손님을 태우기는 아직 부족한 것 같다. 빈차로 시내를 몇 바퀴 돌았다. 웹 사용법을 교육받았으나 실전에 적용하려니 어렵다. 차를 공터에 세워놓고 반복해서 연습을 했다. 더 난감한 일은 오랫동안 운전을 안 해서, 내비게이션 없이는 길 찾기가 불가능했다. 그러던 중 본사관제센터에서 전화가 왔다. 차량운행이 장시간 멈춰있고, 매출이 안 오른다고 했다. 감시당하고 있다는 걸 처음 알았다. 우여곡절 끝에 하루일과를 마쳤다. 매출이 다른 기사들과 비교해 반도 안 된다고 부장이 잔소리 한다. 내가 생각해도 그렇다. 프로의 세계는 냉혹하다. 첫 출근, 이런 말 다 필요 없다. “그래서 얼마 벌었는데?”가 우선이다. 아직은 실전을 하기에 부족하다. 좀 더 준비한 다음에 다시하자고 생각했다. 그런데 더 중요한 건 출, 퇴근 택시비가 삼 만원이 넘는다. 두 번의 식비까지 포함하면 월급을 받아도 남는 게 없을 것 같다. 부장에게 “더 준비해서 출, 퇴근 가능한 곳에 차고지가 생기면, 그 때 다시 하겠다.” 말하고 중단했다. 회사에서도 대기하는 기사가 많다보니, 한 사람 그만두는 것에 아쉬움이 없어 보인다.

쉬는 동안에는 선배사무실에서 직업상담사로 다시 일을 시작했다. 과거 같지는 않지만 생활비는 충분하다. 간간이 보일러설치나 수리작업에 참여했다. 그러던 중 1개월 후에 전화를 받았다. 내가 소속되었던 택시회사상무였다. 첫 출근 날 임원실에서 면담을 했는데, 인상이 좋아 기억에 남는다. 시간되면 식사한번 하자고 말문을 연다. 나는 당장은 시간내기가 어려운데 무슨 일이냐고 물었다. 가까운 거리에 차고지가 생겼는데, 다시 일해 볼 의향이 있냐고 물었다. 집에서 도보로 출, 퇴근이 가능한, 전철로 한 정거장 거리다. 소문으로 알고 있었고, 내가 원했던 곳이다. 상무는 말을 이어갔다. 내가 일을 그만둔 후 택시요금을 일부 돌려받은 고객의 연락을 받았다고 했다. 그러고 보니 생각이 난다. 홍대에서 불광동까지 간 여학생인데 평소보다 택시비가 많이 나왔다고 불만을 말했다. 나도 첫날이라 얼마가 나와야 적정한지 몰랐다. 그래서 평소보다 얼마나 더 나왔냐고 물었더니, 만 원 정도라고 했다. 고급형호출택시라 일반택시 보다 요금이 30% 이상 비싸고, 심야할증일 경우 2배 까지 나온다. 그래서 예약된 고객은 문제가 없지만, 길거리에서 탑승한 손님은 내릴 때 요금에 대한 불만을 강하게 제기한다. 출발 전에 일반택시보다 요금이 비싸다고 말을 하지만, 그래도 내릴 때는 시비가 생긴다. 나는 첫날이고 해서 시비가 생기면 요금을 일부 돌려주었다. 운행기록이 남으니 할인을 해줄 수는 없다. 그래서 개인 돈으로 그 날만 세 번 그랬다. 야간 마지막손님인 학생에게는 만원을 돌려줬는데 안 받으려 했다. 나는 학생이 무슨 돈이 있냐고 하며, 억지로 손에 쥐어 주고 출발했다. 그런데 그 학생은 마음만 받고, 돈을 돌려주고 싶다며 내 연락처를 물었다고 한다. 회사에서는 내가 퇴사했음을 말했다고 한다. 고객과 불필요한 다툼을 피하려 했던 행동인데, 너무 미화된 것 같다. 오히려 이런 사소한 일을 기억하고, 나를 불러준 상무가 좋은 인성과 리더십을 갖춘 사람이라고 생각했다. 사람을 평가하는 기준은 같은 것 같다. 내가 퇴사할 때쯤 그는 전무로 승진했다. 출근을 하니 상무의 배려로 많은 혜택이 주어졌다. 젊은 직원 한명이 나를 전담해서 차량관리와 운행에 대해 상세하게 알려주었다. 그리고 비닐도 뜯지 않은 새 차를 배차 받았다. 교대 없이 원하는 시간에 출, 퇴근도 가능했다.

가수 자이언티의 '양화대교'란 노래가 있다. "아버지는 택시드라이버, 어디냐고 여쭤보면 항상 양화대교"라는 노랫말이다. 나는 매일 차고지를 나와 양화대교를 건넌다. 그리고 관제센터에서 안내하는 호출 많은 지역으로 이동한다. 오늘은 주룩주룩 비가 내린다. 비에 젖은 양화대교를 조심스럽게 건널 때 아들에게 전화가 왔다. "아빠, 어디야?" 먼저 위치를 확인하는 건 "여보세요."를 대신해 말하는 가문의 전통이다. "사무실" "뭐해?" "일하고 있지." "알았어." 더 이상 말을 이어갈 틈도 안주고 끊는다. 나는 끝내 택시를 운전해서 양화대교를 지나고 있다는 말을 못했다. 따로 살고 있어 만나기도 어려운데, 운전하는 직업인걸 알면 걱정할 것 같아 아무에게도 말을 안했다. 아직도 애들은 취업센터대표로 알고 있다. 이렇게 택시운전을 한지 삼 개월이 지났을 무렵, 의상버스기사 일자리가 나왔다는 연락을 받았다. 먼저 촬영장에서 버스를 운영하는 선배에게 일자리를 부탁했는데, 타이밍 맞게 이루어졌다. 종자돈 만들기는 예상보다 결과가 좋았다. 힘들었지만 계획은 완성됐다. 혹시 그 동안 내 자신의 가치가 사회적 지위나 명예, 재산에 의해 평가된 건 아닌 가 잠시 생각해 봤다. 세상에 영원한 것이 어디 있겠는가? 모두가 한 때일 뿐이다. 나는 그때그때를 최선을 다해 최대한으로 살았다. 그래서 내 삶은 행복이고 만족이다.

3부

하늘을 향한 도전

추억이라 하기엔 너무 생생한 기억들

나는 은퇴자다. 정년퇴직을 은퇴라 한다면 나는 자발적 조기은퇴자다. 공군사관학교를 졸업하고 직업군인으로 복무하다 조기에 전역한 예비역중령이다. 사관학교교육기간 포함 25년 되는 날을 은퇴일로 미리 결정했다. 지금부터 시작되는 사관생도 때와 현역시절얘기는 오래전 경험이라 현재와는 차이가 있을 수 있다. 그리고 군 특성상 기밀유지가 필요한 사항은 생략하거나 두루뭉술하게 설명하는 것으로 대신한다. 소위로 임관해서 중령까지의 장교생활은 군대를 다녀 온 사람이라면 누구나 추측이 가능 할 거라 생각한다. 군 생활 때 장교는 늘 주변에 있었기 때문이다. 그러나 공군사관생도에 대해서는 소수의 인원을 제외하고는 알 수가 없다. 군 관련자라도 사관생도교육과 직접 관련된 사람이 아니면, 누구도 그 공간에 가까이 갈 수가 없다. 그저 호기심의 대상일 뿐이다. 그래서 사관생도시절 개인적으로 소중했던 추억 몇 가지만 소개한다.

(추억 하나) 사관학교에 합격한 사람은 입학 전에 4주간 기본군사훈련을 받아야 한다. 그것을 가입교라고 부른다. 병사들이 처음 훈련소에서 받는 기초군사훈련과정과 동일하다. 훈련기간 동안은 훈련병이라고 부른다. 공군사관학교는 훈련병이 아닌 '메추리'라고 부른다. 공군사관생도를 상징하는 새는 독수리다. 그래서 "아직은 날 수 없는 새다."라는 의미로 '메추리'라고 표현한다. 선배들이 직접 교육훈련을 담당한다. 군사훈련을 담당하는 교관은 이론교육만 하고, 4학년 진급전인 3학년 생도들이 모든 훈련을 진행한다. 3학년 생도는 본인의 선택에 의해 내무지도와 훈련지도로 나눈다. 내무지도 한명이 메추리 4명으로 구성된 한개 내무반을 담당한다. 요즘은 2인 1실이라 다를 수가 있다. 네 자녀를 키우는 부모역할이다. 훈련기간 동안 학교생활과 내무생활을 통제하고 가르친다. 훈련지도는 1, 2차로 나누어 2주씩 훈련을 담당한다. 3학년 모든 생도에게 지도력을 발휘할 기회를 주기 위해서다. 내무지도와 훈련지도는 부모역할을 한다고 해서 전통적으로 3년차 선배를 아버지기수라고 부른다. 그래서 입학해서 생도가 되면 4학년이 1학년을 직접 지도하거나, 혼내는 일은 거의 없다. 그러나 가입교 때는 예외다. 지독할 정도로 엄격하게 지도한다. 합법적구타도 허용된다. 손바닥으로 가슴을 미는 일명 '푸싱'이라한다. 실제로는 손바닥을 이용해서 가슴을 때리는 거다. 생각보다 많이 아프다. 너무 많이 맞아 통증을 호소할 경우 훈련복가슴에 노란색 형광펜으로 삼각형

경고표시를 해준다. '푸싱금지'라는 뜻이다. 훈련을 따라오지 못하면 도태된다. 도태된 메추리를 설득하는 일은 없다. 사자가 벼랑에서 새끼를 떨어뜨리는 것과 같다. 살아남은 메추리만 입교해서 사관생도가 된다.

입학식을 하고 개인적으로 잊지 못한 일이 있었다. 사관학교에 입학해서 또 다른 전통이 또 있다는 걸 알았다. 입학하면 1학년과 3학년 간 일대일 형제결연을 맺어준다. 생도생활에 빠르게 적응할 수 있도록 도움을 주기 위해서다. 그래서 2년차 선배를 형기수라고 한다. 이것을 라인이라 부르고 생도 때부터 군 생활동안 변치 않는 친분을 유지한다. 입학해서 1개월 정도 지나면 첫 외출을 나가게 된다. 첫 외출은 특별한 경우가 아니면 3학년 라인선배와 함께 나가야 한다. 이때는 라인선배와 많이 친해진 관계다. 그러나 아무리 친해도 홍길동처럼 아버지기수를 아버지라 부를 수 없고, 형기수인 라인선배라도 형이라 부를 수 없다. 군에는 아버지란 호칭도, 형이란 호칭도 없기 때문이다. 당시 공군사관학교는 서울 대방동에 있었다. 지방에서 올라온 친구들은 아침에 외출을 나갔다, 저녁 때 학교로 다시 돌아와야 하니 집에 갈 수가 없다. 그래서 도움을 주기 위해서다. 외출 시 사관생도 품위유지를 위한 행동을 가르치려는 목적도 있다. 라인선배들은 첫 외출 날 후배들을 위해 최선을 다한다. 마치 애인과 데이트를 하는 것처럼, 서울에 있는 명소들을 방문한다. 최고급 식당에서 식사도 한다. 그리고 선물도 사준다. 주로 책 선물을 많이 한다. 집이 서울인 사람들은 자신의 집에 초대해 식구들을 소개하기도 한다. 나도 3학년 때 1학년 라인동생과 첫 외출을 나가, 제일먼저 우리 가족들을 소개하고, 어머니가 차려주신 생일상 같은 식사를 대접했다.

나는 첫 외출 때 특별하게 국군수도병원에 병문안을 갔다. 첫 외출에서 보기 드문 경우다. 외출을 함께 나간 선배의 라인선배가 입원해 있었다. 내게는 4년 선배다. 병문안 겸 라인의 대선배께 나를 소개하기 위해서다. 그는 공군사관학교 럭비부주장이었다. 삼군사관학교체육대회 때 척추부상을 당해 하반신마비상태다. 누구의 도움 없이는 휠체어도 탈 수 없었다. 그래도 목소리는 당당하고 군인정신이 살아있다. 부상당한 상태로 임관을 해서 계급이 소위였다. 건강해서 만나자는 인사를 나누고 병원을 나왔다. 그리고 잊고 살았다. 내가 개인적으로 찾아 갈수 있는 그런 사이는 아니었다가 맞는 말이다. 세월이 흘러 생도 4학년 때다. 학교에서 드라마촬영이 있다고 했다. 가끔 있는 평범한 일이다. 파티장면촬영을 위해 4학년생도 중 일부는 예복을 입고 면회실로 모이라는 전달을 받았다. 사관생도예복은 퍼레이드행사나 파티 때 입은 옷이다. 모자에 꼽는 흰색 깃, 그리고 하얀색 구두가 특징이다. 당시에 예복에 하얀색 구두를 신는 곳은 육, 해, 공군사관학교 뿐 이었다. 이유는 불명확하지만 사관생도의 자긍심을 심어주려고 그런 것 같다. 면회실 연회장에는 사관학교축제 때 파트너를 동반하는 쌍쌍파티와 같은 분위기가 연출되어 있었다. 한복을 곱게 입은 여성보조출연자 수십 명이 대기하고 있다. 4학년은 이미 이런 파티를 많이 경험해 봤기 때문에 별도의 리허설 없이도 촬영은 순조롭게 진행됐다. 그 때까지도 자세한 드라마내용을 모르고 있었다. 파티장면촬영이 끝나고 나서야 알았다. 바로 첫 외출 때 만났던 라인선배의 일대기를 담은 미니시리즈였다. 병원에 입원해 있는 동안 그를 헌신적으로 도왔던 간호사와 사랑에 빠져 결혼까지 이어진 실화를 바탕으로 한 러브스토리다. 비록 선배부부를 직접 만나지는 못했지만, 그 역할을 했던 남, 여 주인공과 악수를 하는 걸로 아쉬움을 달랬다. 그 선배님이 전역했다는 소식만 듣고 이후 만난 적은 없다. 특별한 첫 외출에서 만난 인연을 몇 년 후 드라마에서 다시 만나게 되는 기막힌 우연이었다. 드라마는 처음부터 끝까지 시청을 했다. 그러나 자세한 내용은 너무 오래전 일이라 가물가물하다.

(추억 둘) 생도생활을 하면서 좋은 경험이었다고 평가하는 일이 하나 있다. 사관생도는 기독교, 불교, 카톨릭 중에 선택해서 종교행사에 참석해야 한다. 이것도 일과 중의 하나라 불참했을 경우 벌점을 받는다. 그래서 각 종교를 번갈아 찾아다니는 친구들에게, 종교가 뭐냐고 물으면 “종교가 없다.”라는 말 대신 ‘기불릭’이라고 대답한다. 나는 기독교라 당연히 교회에 가서 예배를 본다. 하루는 성가대를 뽑는다는 공고가 붙었다. 고등학교 때 교회에서 성가대를 한 경험이 있어 다시 해보고 싶었다. 당시 공군사관학교성가대

는 외부공연에 초청을 받을 정도로 유명했다. 그래서 경쟁률이 높다. 공개오디션을 보고 합격해 베이스파트가 되었다. 성가대를 지휘하는 장로님은 공사출신 교수님이다. 대외적으로 실력 있는 교수님으로 평가받는 유명인이다. 그래서 생도들에게 영향력이 크다. 학교에서도 성가대가 학교홍보에 기여한다고 생각해서 연습시간은 보장해 준다. 주말이나 모든 일과가 끝난 야간에 모여서 연습을 한다. 때로는 무시무시한 야간점호시간을 피할 수 있는 특혜도 받는다.

2학년 때 이미 중창단활동을 하고 있던 동기생 추천으로 중창단에 들어갔다. 1학년에서 4학년까지 성가대 중에 8명을 뽑아 중창단을 구성한다. 각 파트 별 2명씩 4개 파트다. 일반적으로 남성 4중창은 퍼스트 테너, 세컨드 테너, 바리톤, 베이스로 구성된다. 나는 고등학교 때 부터 베이스였다. 그래서 같은 2학년 이던 친구와 베이스를 담당했다. 이 친구는 베이스로는 독보적인존재다. 그래서 모든 곡에 베이스솔로를 넣는다. 축제 때도 은빛날개라고 불리는 보컬 팀과, 친구가 솔로로 통기타를 연주하며 부르는 노래는 학교의 자랑거리였다. 음악적재능이 뛰어난 친구는 정식으로 음악을 하고 싶다며 자퇴하고 학교를 떠났다. 그래서 이후 베이스솔로는 내가 담당했다. 학부모와 외부교인을 초청한 크리스마스공연에서 베이스솔로를 했다. 어머니가 크게 기뻐했던 기억이 있다. 공연했던 전곡이 녹음된 테이프를 두고두고 들었다고 한다. 음악을 하면서 부끄러운 기억이 하나 있다. 기독교계열인 여자대학축제에 중창단이 초청을 받았다. 선배들은 이런 경험이 있으나, 나는 처음이다. 연습된 성가 몇 곡을 공연했다. 공연이 끝나고 다과회자리에서 한곡만 더해달라는 요청을 받았다. 4학년팀장은 팝송을 하자고 제안을 했다. 아차, 싶었다. 나는 그 당시에 성가나 가곡 외에는 가사를 외우고 있는 노래가 없었다. 그렇다고 반대의사를 표현 할 수는 없다. 노래 좀 했다하면 누구나 불러 본 노래다. 미국의 유명 팝가수 존 덴버가 1975년 발표한 '투데이(Today)'란 곡이다. 그런데 음은 알지만 가사 전체를 모르고 있었다. 결국 '투데이'라는 첫 소절만 부르고 나머지는 허밍만하다 끝났다. 그런데도 최고의 화음이 나온다. 우리 중창단이지만 실력이 대단하다는 걸 다시 한 번 느꼈다. 베이스는 내가 최고라는 자만심이 깨지는 순간이었다. 나중에 알게 됐지만, 내가 중창단에 들어오기 전에 연습했던 곡이라 했다. 내가 없어도 세상은 굴러간다는 것을 깨달은 순간이었다. 성가대는 3학년 초에 그만 두었다. 학교에서 너무 바쁜 직책을 맡게 되어 시간을 낼 수 없었다.

(추억 셋) 대학을 다닌 사람은 누구나 학교축제에 대한 추억이 있다. 축제기간은 마음을 내려놓고 즐길 수 있는 유일한 시간이다. 사관학교도 축제기간이 있다. 그러나 일반대학과는 다르다. 모든 일과를 정상적으로 진행하면서 남는 시간에 준비를 해야 한다. 그래서 일과 중에는 축제기간인지를 알 수가 없다. 축제는 생도들이

사전에 준비한 전시회, 공연, 그리고 쌍쌍파티로 구성된다. 중대별로는 가요제가 열린다. 나는 중대가요제에서 산울림의 '산 할아버지'라는 통기타 듀엣 곡으로 대상을 받은 적도 있다. 공연은 생도들의 연극, 춤, 보컬이 중심이고, 초대가수들이 오기도 한다. 축제의 백미는 파트너를 동반하는 쌍쌍파티다.

나는 파티 때 마다 파트너와의 특별한 에피소드가 있었다. 사관생도의 파티복장은 예복이고, 장교는 정복을 입는다. 여성파트너는 모두 한복을 입어야한다. 당시는 사관학교와 공군본부가 가까이 위치하고 있었다. 그래서 공군참모총장과 본부참모들이 참석하는 큰 행사였다. 때로는 장군들이 생도들을 위해 준비한 단체댄스를 선보이기도 한다. 참석한 파트너들은 평생처음 장군들의 춤을 볼 수 있는 기회였을 거다. 남자들만의 세상에 사는 생도들의 가장 큰 고민은 파트너를 구하는 거다. 물론 결혼을 전제로 연애를 하는 친구들도 있다. 동기생 중에 한명은 졸업식 날 생도들의 축하를 받으며 결혼식을 했다. 모두가 부러워하는 비용 없는 성대한 결혼식이다. 졸업식은 대통령참석행사다. 후배들이 준비한 졸업반지증정식이라 부리는 '링 세레모니'와 국군의 날 행사 때나 볼 수 있는 졸업식축하비행이 압권이다. 그러나 대부분은 깊은 관계의 연애를 할 수 있는 시간이 없다. 1학년은 행사진행을 보좌해야 한다. 그래서 2학년 때 부터 파티에 참석할 수 있다. 생도들은 축제 전에 바빠진다. 급하게 미팅도하고 대학생인 친구들의 도움을 받기도 한다.

파트너가 없으면 파티에 참석 할 수 없다. 나는 2, 3, 4학년에 있었던 파티에서 세 번 모두 파트너가 바뀌었다. 제일 부러운 친구는 세 번 같은 파트너가 오는 경우다. 이런 경우는 동기생들도 인정해준다. 그래서 농담으로 제수씨라고 호칭한다.

2학년 때 있었던 일이다. 첫 번째 파티의 파트너는 공식적으로 연애를 했던 사이다. 친구 소개로 만나 1년 정도 되었다. 그러나 만난 횟수는 그리 많지 않다. 여자 친구는 파티 참석 후 얼마 지나지 않아 미국으로 가족들과 함께 이민을 갔다. 형부가 한국주둔 미군 장교였다. 남산외인아파트에 함께 살고 있었다. 나도 초대를 받아 방문한 적이 있다. 형부가 미국으로 돌아가면서 처가식구들을 데리고 갔다. 나는 그렇게 될 거라는 걸 이미 알고 있었다. 그래서 그 파티는 헤어짐에 아쉬움이 없는 이별파티였다.

3학년 때 파티는 여자 친구가 없을 때다. 고등학교 때 다니던 교회에서 불우이웃돕기 일일찻집을 한다는 연락을 받았다. 목사가 되기 위해 신학대학교에 다니며, 교회에서 봉사하고 있는 친구가 연락을 했다. 고등학교 때 교회 친구들께 다 연락했다고 한다. 겸사겸사 만나자고 했다. 오랜만에 만나 친구들과 목사님께 인사를 드리고 찻집에 들어갔다. 여학생들이 한복을 입고 차를 나르고 있었다. 그때 누군가 인사를 했다. 고등학교 때 교회에서 나를 오빠라고 불렀던 어린 중학생이었다. 인사를 안했으면 알아볼 수 없을 정도로 다 큰 숙녀가 돼서 나타났다. 벌써 고등학교 3학년이라고 한다. 이런저런 얘기를 하던 중 자신의 꿈이 스튜어디스라고 했다. 그러면서 공군사관학교 견학을 하고 싶다고 한다. 나는 즉흥적으로 한 달 후 있을 축제 때, 지금 입고 있는 한복을 가져오라고 말했다. 대학생인 친구에게 파트너를 부탁하려 했는데, 이젠 되돌릴 수 없는 약속이 되었다. 이렇게 해서 고등학생이 사관학교쌍쌍파티에 참석하게 된다. 끝날 때 까지 누구도 눈치 채지 못했다. 1년 후인 4학년 때 삼군사관학교체육대회에 관중으로 온 동생을 우연히 만났다. 스튜어디스과정인 항공운항과 1학년에 재학 중이라고 했다. 그 이후 만난 적은 없으나, 꿈을 이루었을 거라 믿는다.

4학년 축제 때다. 이때도 여자 친구가 없었다. 중학교동창 3명이 친구 집에서 모임을 가졌다. 친구 집은 2층이라 방이 많다. 그래서 잠을 자고 온 적도 있다. 부모님과 형, 동생들과도 가족처럼 친했다. 우연한 결과지만 중학교 때 초등학생이던 친구여동생이 내 동기생과 결혼을 했다. 부잣집 도련님 소리를 듣고 자란 친구는 사교성이 좋아 주변에 여자 친구들이 많았다. 친구에게 부탁을 했다. "내가 여자를 따로 만날 시간이 없다." "너만 믿을 테니, 축제 날 파트너 한명 데리고 와라." 내 성격을 아는 친구라 두말 안한다는 걸 잘 안다. "알았다. 믿고 기다려." 그 말 한마디로 끝이다. 내가 파트너가 없어도 자신 있었던 이유다. 시간이 흘러 파티가 있는 날이다. "이강효 생도, 면회 왔습니다." 마이크 전달이 나온다. 면회실에서 면회신청을 하면 당직사령실로 연락이 온다. 그러면 마이크전

달로 면회사실을 알린다. 나는 면회실로 전화를 했다. 한복을 갈아 입을 수 있는 생도회관으로 안내하라고 지시했다. 4학년이라 가능한 일이다. 기다리고 있는 데 친구가 보이지 않는다. 두리번거리며 찾고 있을 때 두 여성이 내 앞으로 왔다. “이강효 생도님이시죠?”라며 가슴에 붙은 이름표를 확인한다. “예, 맞습니다.” 한 여성이 주도적으로 말을 걸어 왔다. “저는 친구 분 대학교 후배입니다.” “오빠가 생도님 파트너를 소개하라고 해서 왔어요.” 나는 의자를 권하고 음료수를 사가지고 왔다. 그런데 친구후배라는 사람은 어디서 많이 본 얼굴이다. “혹시, 그 분?”하며 머리를 갸웃했더니 웃으며 대답했다. “예, 맞아요.” 당시 젊은이들 사이에서 최고 인기였던 대학가요제에서 ‘참새와 허수아비’로 대상을 받은 여가수였다. 친구가 일전에 대상 받은 사람이 친한 후배라는 말은 한 적이 있다. 내가 가수를 처음 본 건 축제에 단골로 왔던 ‘내일’을 부른 김수철 씨다. 내가 좋아했던 가수다. 그는 공사 보컬 팀 리더와 친구사이였다. 그 인연으로 자주 왔던 것 같다. 이번에 두 번째로 여가수를 본다. 이런 인연으로 두 가수의 노래는 지금까지 내 애창곡이다. 그녀는 “오빠가 너는 자격이 없으니, 네 친구 중에 좋은 사람 소개해라.”라고 했다며 농담을 한다. 그리고 함께 온 여학생을 소개했다. 모 여대 성악과 4학년이라고 했다. 그리고 “친구 아버지도 공군사관학교 출신이세요.”라고 말한다. 나는 “아, 그러신가요.” “반갑습니다.”라고 했지만, 내심 꺼림직 했다. 말 한마디, 행동하나 빈틈을 보여서는 안 된다. 그렇다고 지금 어떻게 할 수 있는 방법이 없다. 친구후배는 "즐거운 파티 되세요."라며 먼저 자리를 떠났다. 파티시작 전 까지 시간이 남아 학교 몇 군데를 견학했다. 어떤 농담도 할 수 없었다. 파티가 열리는 식당 앞에는 쌍쌍이 줄을 서 있다. 앞에는 1학년 생도들이 '교차 칼'을 하고 있다. '교차 칼'은 예도를 높이 들고 도열하는 거다. 그 곳을 지나가야 한다. 그러면 여기저기서 각 학년 앨범위원들이 사진을 찍는다. 생도생활 모든 일상은 비디오나 사진기록으로 남는다. 이 날은 입장하는 동안 1학년 후배들이 처음으로 선배들을 마음껏 놀릴 수 있는 기회다. 결혼식 때 신랑, 신부에게 장난치는 거와 같다. 파티가 시작되었다. 당시 나는 4학년 동기생회장이었다. 일반대학 총학생회장역할이라 보면 된다. 그래서 개회식 때 참모총장님, 교장님 그리고 내 파트너와 함께 케이크를 자르고, 헤드테이블에서 환담을 해야 한다. 개회식이 끝나자마자 참모총장이 내 파트너를 보고 이름을 부르며 "야, 너를 여기서 보네."라고 한다. 파트너는 이미 예견하고 있었다는 듯이 "아저씨, 안녕하셨어요." 라고 인사를 한다. 주변에서는 그 모습을 보고 어리둥절했다. 헤드테이블을 떠나서 파트너에게 어떤 사이냐고 물었다. 그녀는 대답했다. "아버지와 참모총장님은 사관학교동기생이에요." "어릴 적부터 같은 관사에서 살아 가족들 모두 다 친해요."라고 한다. 공군사관학교졸업생은 소수인원이다. 그래서 동기생이라는 의미는, 4년 동안 동고동락한 친한 친구라는 뜻과 같다. "아, 그랬었군요?" 그리고 혼잣말을 했다. "참, 여자복도 지지리 없는 놈." 군대생활을 조금 이라도 해본 사람이라면, 그때 내 심정을 알 거라 생각된다. 파티 막바지에는 디스코리듬에 맞춰 춤을 춘다. 번갈아 가며 부르스 음악도 흐른다. 모두 분위기에 취해 얼싸안고 스텝을 밟는다. 그런데 우리 둘은 손만 잡고 빙빙 돌기만 했다. 파티가 끝나고 나오니, 이미 어둠이 밀려와 있었다. 파트너를 정문 앞까지만 배웅할 수 있다. 작별 인사를 하는데, 그녀는 머뭇거리며 발걸음을 떼지 않았다. 그러나 다음 만남을 약속 할 수 있는 용기가 나지 않았다. 기회가 되면 친구들과 한번 보자는 형식적인 인사말만 하고 헤어졌다. 돌이켜 보면 용기 없이 행동했던 나 자신이 부끄럽기도 하다. 최고의 파트너를 소개하려던 친구와 그 후배의 지나친 배려가 내 마지막 파티를 힘들게 했다. 그렇지만 또 하나의 추억이 쌓인다.

(추억 넷) 공사생도만 경험 할 수 있는 일이 하나있다. 바로 비행훈련이다. 공군사관생도는 의무적으로 전투기조종사가 되는 비행훈련을 받아야 한다. 먼저 엄격한 기준의 정밀신체검사와 비행적성검사를 받는다. 여기서도 탈락자가 많이 생긴다. 통과하면 초등비행훈련과정에 입교한다. 초등훈련항공기로 단독비행을 완수하면 고등비행훈련과정으로 넘어간다. 그리고 여러 단계를 거치며 조종사가 되는 훈련은 계속된다. 생도들이 비행훈련을 시작하는 시기는 상황에 따라 다르게 적용된다. 우리는 4학년 초 부터 그룹으로 나누어 순차적으로 비행훈련을 떠난다. 나는 4학년 2학기

초에 비행훈련에 입교했다. 비행을 잘하는 사람은 체격이 좋거나, 운동을 잘하는 거와는 전혀 상관이 없다. 선천적으로 비행에 적합한 체질이 따로 있다. 직접 비행훈련을 경험해 보지 않고는 누구도 예측을 할 수 없다.

나는 비행훈련을 받으며 너무 힘들었던 기억이 남아있다. 어려서부터 차멀미를 심하게 해서 조종사가 된다는 생각을 못했다. 그렇다고 비행훈련을 거부할 수는 없다. 공군만의 특혜지만 사관생도 때는 견학이나 훈련을 위해 수송기를 이용할 때가 있다. 한번은 비행기 멀미가 심해 기내에 준비된 깡통에 구토를 했다. 이 장면을 장난꾸러기 동기생이 사진을 찍어 나에게 선물 한 적이 있다. 그것 때문에 모든 친구들은 내가 차멀미가 심하다는 걸 알게 됐다. 그래서 나를 이기려면 한 시간만 차타고 가서 싸우면, 누구든 이길 수 있다는 루머도 있었다.

훈련 첫날은 관숙비행이다. 관숙비행은 비행체험을 하는 거다. 공중에서 내려다 본 주변 경관을 감상한다. 그리고 지명을 알려주고 비행경로를 설명해준다. 나는 비행 전에 당연하듯 비닐봉지 몇 장을 준비했다. 조종복에는 주머니가 많아 쉽게 꺼낼 수 있게 여기저기 넣어두었다. 처음 조종석에 직접 앉으니, "하늘을 나는 기분이 이런 거구나."라는 생각에 마음이 설렜다. 관숙비행 막바지에 교수님이 공중기동시범을 보인다며, 항공기로 할 수 있는 모든 기동을 선보인다. 계속 회전을 할 때 한계점에 도달했다. 겨우 비닐봉투를 꺼내 기절할 정도로 심한 구토를 했다. 비행을 마치고 내려오니 우리를 인솔해 온 훈육관이 나를 부른다. 이미 내 얘기를 들은 것 같다. "몸에는 이상 없냐?"라고 묻는다. 마음으로는 "죽을 것 같습니다."라고 답변하고 싶었지만, 그럴 수 없는 것이 군인정신이다. "죽더라도 끝까지 버텨보겠습니다." 훈육관은 "응, 정신력 좋아." "내가 비행교수께 부탁 할 테니 끝까지 한번 해보자."라며 격려한다. 보통 비행교수라는 호칭은 현역조종사에서 은퇴하고 교수가 된 사람이다. 그리고 현역조종사로 일시적으로 보직을 받고 부임한 사람을 비행교관이라 호칭한다. 비행훈련담당이 대선배인 교수님일 경우는 자상하게 지도를 하는데, 현역교관이 담당이면 매몰차게 몰아친다. 첫날 심하게 했던 멀미는 다음날부터 강도가 약해졌다. 그러나 억지로 구토를 참았을 뿐 정신은 늘 혼미한 상태다. 이렇게 일정 횟수의 동승비행을 하고나면, 단독비행을 나갈 사람과 누락자를 고르는 평가를 한다.

오늘이 평가에서 가장 중요하다고 하는 날이다. 동승비행 마지막을 '피바다'라는 별명을 가진 무서운 교관님과 했다. 당시 군에서 엄하게 지도하는 선배나 교관을 호칭할 때 '피바다'라는 별명을 붙였다. 마음속으로는 포기한 상태지만 교관 앞에서는 의지를 불태워야 하다. 시작부터 욕설이 난무한다. 정상적인 대화는 불가능하다. 조종석에 앉는 순간부터 스스로 모든 것을 해내야 했다. 단독비행이 가능한가를 평가해야 하기에 교관은 아무것도 도움을 주지 않는다. 경험한 순서대로 하니 이륙까지는 순조롭다. 이륙해서 일정고도에 오르면 수평비행을 해야 한다. 수평비행은 어렵지 않게 진행됐다. 문제는 항공기를 선회 할 때다. 그때부터 멀미가 오면서 정신이 혼미해진다. 이제부터 선회가 시작된다. 다행히 15도, 30도 완선회는 울렁거림이 있었지만 무난하게 통과했다. 그러나 45도 이상 급선회가 시작되면서 긴장감과 멀미가 합쳐져 정신을 잃을 지경이다. 교관의 호통소리가 들린다. "정신 안차려!" 결국은 터질게 터졌다. 90도 급선회를 지시 받았다. 정신이 없어 계기판 보는 것을 놓쳤다. 감으로 90도를 선회했다고 생각하고 기수를 수평으로 맞췄다. 그때 교관이 손바닥으로 헬멧을 강타하며 소리친다. "정신 차려!" 360도 돌았어!" 한 바퀴 돌고 다시 원위치로 온 거다. 항공기조종을 한번이라도 경험해봤다면 알거다. 정상적인 사람이라면 말도 안 되는 실수다. 맞다, 그때 나는 제정신이 아니었다. 글로 표현 할 수 없는 온갖 욕설이 난무한다. "야, 조종관에서 손 떼." 이때 판단이 중요하다. 지시대로 바로 손을 떼면 요즘 사관생도들 정신력이 부족하다고 단체기합을 받는다. 그런데 조종관을 잡고 있어도 수평비행 외에는 더 이상 할 수 있는 것이 없다. 그래도 정신력이 부족하다는 말은 듣고 싶지 않았다. "한 번 더 해보겠습니다." 라고 큰 소리로 몇 번을 외쳤다. 교관은 "야, 오늘 같이 죽자고 작정했냐?" "빨리 손 떼고, 머리위로 두 손 다 올려." 여기서 공군역사에 남을 수치스런 기록이 하나 생긴다. 내 생의 마지막 비행에서 착륙

할 때 까지 헬멧위에 두 손을 올리고 있었다. 그 당시 비행훈련을 함께했던 동기생들은 다 알고 있는 사실이다. 그렇지만 나는 아직도 비행을 하는 꿈을 꾼다.

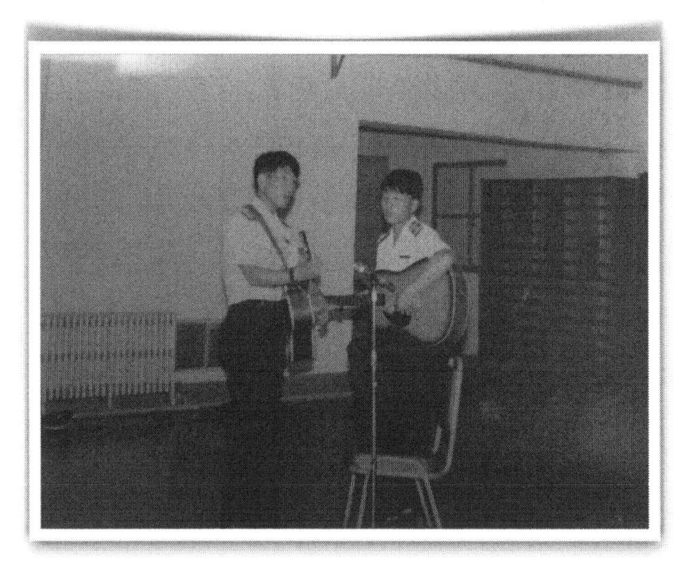

내가 아는 딴 세상 사람들

공군사관학교 출신은 비행훈련과정이 미래의 진로를 결정하는 중요한 변수다. 비행훈련에 실패한 경우 조종사가 아닌 타 분야를 선택해야 한다. 나는 소위로 임관하고 작전분야인 레이더기지에서 전투기관제사로 3년간 근무했다. 내가 졸업 할 당시는 과거에 없었던 특별한 일이 발생했다. 왜 내 인생은 특별한 일이 많이 일어나는지 몹시 궁금하다. 졸업 전에 헌병특기를 배정받았다. 요즘 말로 군사경찰이다. 육군에서는 병과라고 하는데 공군은 특기라고 한다. 공군사관생도는 임관을 하면 조종분야, 작전분야, 후방지원분야로 나누어 특기를 부여 받는다. 그런데 무슨 이유인지 올해 졸업생부터 3년간 의무적으로 작전분야에서 근무를 해야 한다는 명령이 떨어졌다. 3년 후 다른 분야로 전환이 가능하다고 했다. 그래서 나는 선택권도 없이 관제특기를 배정받았다. 관제사인 장교는 방공무기통제장교라는 용어로도 사용한다. 레이더기지라고 불리는 산 정상에 있는 부대에 근무해야 한다. 한국에서 가장 높은 곳에 위치한 부대인, 해발 1,220미터 고지에 근무한 적도 있다. 전투기조종사와 협력해서 작전을 수행해야 한다. 그래서 임무 수행을 위한 교육기간이 타 분야에 비해 길다. '퀄리파이(qualify)'라는 자격을 받은 장교만 단독작전이 가능하다. 비행기지 내에서 항공기이착륙을 유도하는 항공관제 임무와는 전혀 다르다. 우리가 험한 인생을 살았다고 생각 할 때 산전, 수전, 공중전을 다 겪어다는 말은 한다. 공중전은 전투기끼리 하늘에서 싸우는 거다. 항공전이라고도 하며, 영어로 개싸움(dogfighting)이라 표현한다. 전통적으로 항공전은 서로의 꼬리를 잡기 위해 빙글빙글 돌면서 싸운다. 이것이 개가 싸우는 모습하고 비슷하다고 하여 붙여진 이름이다. 관제장교가 하는 일은 적기가 레이더에 포착되면 인근부대 전투기를 출동시킨다. 그리고 이륙한 순간부터 일대일 교신을 통해 포착된 적기가 있는 지점으로 안내한다. 마지막에는 공중전에 가장 유리한 지점인 적기의 꼬리까지 유도하는 것이 주 임무다. 조종사와 관제사의 숙련도에 따라 승패가 엇갈릴 수도 있다. 너무 오래전 얘기를 했다. 말 그대로 옛날 얘기다. 현재는 최첨단항공기와 레이더 시스템이 갖춰져 있다. 이제는 나도 임무에 대한 정확한 사실을 알 수가 없다. 지금 생각해 보면 3년간 의무적으로 작전분야근무를 명령한 상부지시가 이해된다. 관제사경험은 내가 군인으로서 자부심을 갖게 되는 계기가 됐다. 그리고 미래교육자로서 작전경험을 자신 있게 말할 수 있는 동기부여도 되었다.

나는 일반적으로 많이 알려지지 않은 특별한 경력이 있다. 대위 진급과 동시에 교육 분야인 공군기술고등학교 3학년 중대장으로 발령이 났다. 공군기술고등학교는 부사관을 양성하는 곳이다. 졸업하면 하사로 임관한다. 우수한 학생은 공군사관학교에 바로 입학하는 경우도 있다. 지금은 '공군항공과학고등학교'라고 부른다. 사관학교와 유사한 교육시스템이다. 교복대신 제복과 전투복을 입는 유일한 고등학교다. 당시 3학년 중대장은 선임중대장자격으로 상담실장 직책을 겸직했다. 현역군인이 경험하기 힘든 고등학교의 학생주임역할을 했다고 보면 된다. 각 중대는 중대장과 훈육장교 5명, 그리고 고등학교선배인 주임상사로 구성된다. 그리고 학생들 수업을 담당하는 교관도 별도로 선발된 현역장교들이다. 고등학교출신 부사관들은 공군에서 중추적인 역할을 담당한다. 이런 제자들이 있다 보니 군 생활 중에 많은 도움을 받았다. 고등학교동문체육대회에 선생님자격으로 초대를 받은 적도 있다. 1년간의 짧은 기간이었지만 학생들과 정이 많이 들었다. 언젠가 대령으로 진급을 하면 교장으로 다시 오겠다는 인사말을 하고 떠났다. 그 약속을 지키지 못했다. 먼 훗날 고등학교 교장을 역임하고 전역한 후배를 만난 적이 있다. 과거를 추억하며 경험담을 듣는 걸로 만족해야 했다.

3학년을 졸업시키고. 공군사관학교 군사학교관으로 차출됐다. 소령으로 진급 한 후에는 중령 보직인 군사훈련처장을 했다. 근무

중 국방대학원 입학시험에 합격했다. 대학원에서 국방관리를 전공하고 안전보장학석사학위를 받았다. 국방대학원에 다닐 때 이야기다. 2년간 대학원생활은 지난 삶을 돌아 볼 수 있는 소중한 시간이었다. 당시 국방대학원은 서울 수색에 있었다. 내가 학창시절을 보낸 동네와 가까운 거리다. 덕분에 오랫동안 만나지 못 했던 초등학교 동창과 동네 친구들을 만날 수 있었다. 국방대학원석사과정에는 각 군 현역장교와 중앙부처공무원들이 입학을 한다. 공무원들은 대부분 행정고시출신으로 4급이 주축이었다. 평균연령은 나보다 6년 선배들이다. 전체 10%정도 인원인 공무원들은 내가 전공한 경제, 경영학이 중심인 국방관리학과 소속이다. 그들이 국방정책이나 군사전략을 배울 필요는 없기 때문이다. 소령 때 입학한 나는 제일 선배기수라 공군대표가 됐다. 그러다 보니 상대적으로 나이가 많은 공무원들과 친분관계를 가졌다. 서로 집에도 초대해 가족들도 아는 친한 관계였다.

2학년 때 일이다. 졸업논문준비를 위해 지도교수를 선정해야 한다. 나는 공사선배였던 경영학교수님을 지도교수로 하고 싶었다. 그러던 어느 날 일반대학출신 경제학교수님이 나를 부른다. 주로 공무원들 논문만 지도하는 원로교수님이다. 논문지도교수로 자신을 선택하라고 했다. 공무원들이 현역군인 한 명 필요하다며 나를 추천했다고 한다. 그래서 나를 포함 논문지도학생 5명이 의형제 모임을 만들어 정기적으로 만나는 사이가 되었다. 공무원들은 모두 서울대출신이고, 이미 석사학위를 갖고 있었다. 그래서 학위를 받는 목적보다는 안식년이라는 인식도 있었다. 나는 실력자인 형들 덕분에 논문을 쓰는데 어려움이 없었다. 그런데 논문을 완성하고 심사를 받기 전에 슬픈 사건이 발생한다. 교수님이 야간에 횡단보도를 건너다 교통사고로 돌아가셨다. 뉴스에도 나왔던 너무 안타까운 사고다. 자녀는 모두 딸이고 뒤늦게 얻은 막내아들이 있었다. 상주역할을 하기엔 너무 어린 중학교 1학년이다. 그래서 제자인 우리가 상주역할을 하며 장례식장을 지켰다. 장례식을 마치고, 우리는 모임에서 두 가지를 결정했다. 첫째, 바뀐 지도교수께 동의를 구하고, 논문에 고인이 된 전 지도교수님인장을 찍기로 했다. 둘째, 교수님 막내아들을 위한 장학금을 모으자고 의견을 모았다. 고등학교졸업 때 까지 학비를 부담하기로 했다. 그렇게 해서 5년 동안 정기적 모임을 갖고, 장학금을 전달했다. 모임의 목적은 장학금을 만드는 것과, 졸업 후에도 친분을 유지하자는데 있었다. 모두 바둑을 좋아해 주로 주말에 기원에서 모였다. 그러나 이런 관계는 시간이 지나 직장에서 정상의 자리에 오르니 더 이상 만남을 지속 할 수 없었다. 이미 공무원형들은 뉴스나 신문에서나 볼 수 있는 높은 지위에 있었다. 모든 친분관계는 사회적위치가 동등해야 가능한 것 같다.

내가 소위 때 일이다. 부대 앞에 단골중국집이 있었다. 짜장면과 양장피로 유명한 맛 집이다. 우리가 가면 서비스를 듬뿍 주는 친절한 사장님이다. 사장님은 자신의 초등학교동창이 공사출신이고 별 두개인 소장으로 예편했다고 늘 자랑을 했다. 우리가 너무 잘 아는 분이다. 사관학교 동기생아버지다. 나는 사장님께 처음으로 물었다. “그 분은 제 친구 부친인데, 친구 분 자주 만나시나요?” 사장님이 대답했다. “아니, 아무리 친했어도 지금은 만날 수가 없지.” “사회적 지위가 다른데.” 나는 말을 이어갔다. “그게, 뭔 상관이에요.” “한번 친구면, 영원한 친구지요.” 이렇게 철없는 말을 한 적도 있다. 사회적 지위는 사회적 관계 속의 한 개인이 자신이 속한 집단이나 사회 내에서 차지하고 있는 위치다. 나이가 들어 갈수록 그 격차가 더 커져 사회적 지위에 대한 생각을 많이 하게 된다. 내가 전역을 하고 몇 년간은 군 동료나 공무원인 형들을 자주 만났다. 그러나 모든 것을 쏟아 부었던 사업이 망하자, 내 사회적 위치가 달라졌다. 완전 딴 세상 사람이 된 기분이었다. 그들이 나를 피한 것이 아니다. 나 스스로를 고립시키고 도망친 거다. 오직 먹고 살기위해 험한 일을 해야 했기에, 과거의 모든 신분을 숨기고 살아야 했다.

부모님장례식 때 일이다. 내가 사무실에 출근을 못하니, 직장 동료들에게는 말을 안 할 수가 없었다. 그리고 조기에 전역한 가장 친했던 동기생 한명에게만 부친상을 당했다고만 말했다. 그 외에는 아무에게도 연락을 안했다. 심지어 친인척들에게도 동생이 그 역할을 대신했다. 그런데 어떻게 알았는지 사관학교동기생회에서 조화와 상조깃발을 보냈다. 그리고 생각도 못하고 있던 당시 공군참모총장인 동기생도 조화를 보내왔다. 그때는 고맙다는 말조차 전하지 못했다. 나는 그것을 문상객이 지나다니지 않는 곳에 세워 두었다. 최근 5년간 나와 함께 일을 했던 사람들은 내가 군인출신이라는 걸 아무도 모르고 있었다. 10년이 지난 지금도 모르고 있다. 직장동료들이 조문을 왔을 때 눈치 챌 것 같아서 그렇게 행동했다. 동생과 그의 친구들이 나에게 묻는다. "형님, 제일 앞에 두어야 할 조화를 왜 안 보이는 곳에 두십니까?" "그냥, 그럴 일이 있어."라고만 대답했다.

그 동안 세월의 흐름에 순응해서 욕심 없이, 있는 그대로의 내 모습대로 살았다고 생각했다. 그런데 이 생각은 거짓이다. 욕심이 없었던 것이 아니고, 능력이 없어 자포자기 했다. 꿈에서 깨어 눈떠 보니 친했던 후배가 사관학교교장이고, 한솥밥 먹던 친구가 참모총장이다. 그리고 함께 생도생활을 했던 1년 선배가 국방부장관이 됐다. 한때는 내가 꿈꾸던 자리에 가까운 사람들이 앉아있다. 더 이상 가까이 갈 수 없는 세계다. 나도 어쩔 수 없이 사회적 위치에 흔들리는 속물이라는 걸 알게 됐다. 만일 이 글이 교훈을 주기위한 목적이라면 "나도 대등한 위치가 되기 위해 노력해야겠다."라는 말로 끝을 맺어야 한다. 그러나 그렇게 할 수 없다. 나는 이들과 다른 삶을 선택했다. 그래서 앞으로도 다른 경험을 하며 살아가야 한다. 먼 훗날, 우연이 과거의 인연들을 만나면 함께 웃통을 벗고 소주한 잔 기울이고 싶다.

머피의 법칙과 셀리의 법칙

대학원을 졸업하고 공군대학교수로 발령이 났다. 공군대학은 보수교육기관이다. 초급, 고급지휘관참모과정이 중심이고, 그 외에 다양한 교육프로그램이 있다. 교육생은 현역장교만을 대상으로 한다. 교수가 됐다고 바로 강의를 하는 것이 아니다. 준비기간이 필요하다. 강의 과목을 배정받으면 한 달 간의 연구시간을 준다. 그리고 총장님이하 전 교수가 참석한 상태에서 준비된 1시간짜리 연습강의를 하고 평가를 받아야 한다. 준비가 아직 덜 되었다고 평가되면 처음부터 다시 준비해야 한다. 이 절차는 예외 없이 매우 엄격하게 적용된다. 나는 사관학교에서 생도들을 가르친 경력이 있다. 이런 경험이면 통과하는데 어려움은 없을 거라 생각했다. 그러나 경력자라는 이유로 기대감이 높아 더 열심히 준비해야 했다. 이런 노력과 행운이 겹쳐 공부를 계속할 수 있는 기회를 잡았다. 나는 당시 지휘통솔론, 의사전달론, 논리적 사고, 전략적 사고 등의 과목을 강의하고 있었다. 그러던 어느 날 중앙교수연구발표회가 있다는 걸 알았다. 매년 공군 모든 교육기관의 학술교수, 훈련교관을 대상으로 각 기관에서 선발된 인원이 참여해 최고의 교수를 뽑는 대회다. 마침 최근에 여러 과목을 연구하고 강의준비를 했기에 자신이 있어 참가하기로 결정했다. 공군대학대표를 선발하는 강의에서 1등을 해서 대학총장상을 확보하고 대표로 출전하게 됐다. 결선은 본부에서 선정한 심사위원들이 각 부대를 방문해 실제 교육생을 대상으로 교육하는 것을 현장에서 평가하는 제도다. 당시에는 대부분 강의에서 슬라이드환등기를 사용했다. 그러다 파워포인트라는 프로그램이 도입되어, 군에서도 점차적으로 노트북과 비임 프로젝트를 이용해서 강의를 하는 추세로 바뀌고 있었다. 나는 '의사전달론'이라는 강의제목으로 1교시분량의 강의를 준비했다. 파워포인트로 시청각자료를 만들었다. 강의 내용을 토씨 하나까지 외울 정도로 많은 준비를 했다.

대회당일이다. 백 명 정도 수용할 수 있는 강당에서 강의를 해야 한다. 교육생은 초급지휘관참모과정에 입교한 대위들이다. 본부에서 파견된 심사위원들과 모든 교수들이 참석했다. 충분한 준비가 되어 긴장감이나 떨리는 마음은 없었다. 비임 프로젝트와 연결된 노트북을 리모컨으로 작동을 하기로 했다. 인사말을 하고 수업시작을 알리며 리모컨스위치를 눌렀다. 그런데 작동이 안 된다. 바로 5분전에도 실현을 했는데 난감했다. 모두가 술렁이기 시작한다. 이제 끝이구나 생각하고 시청각자료실 직원에게 복구를 요청했다. 모든 사람들이 내 행동만 바라보고 있는데, 그냥 있을 수는 없었다. 심호흡을 하고 마음을 다시 잡았다. 경기장에 들어가지 않으면 당연히 패배다. 갑자기 당시 유행이던 가수 DJDOC가 부른 '머피의 법칙'이 생각났다. "세상에 어떻게 이럴 수가, 나는 도대체 되는 일이 하나 없는지. 세상 모든 것이 다 내 뜻과 어긋나 날 힘들게 하여도, 내가 꿈꿔온 사랑은 이루고 말테야." 가사내용의 일부분이다. 이렇게 지금 현 상황을 적용해서 자연스럽게 설명했다. '머피의 법칙'은 미국공군에 근무하던 에드워드 머피 대위가 처음 사용한 말로 원래는 "안 좋은 일을 미리 대비해야 한다."는 뜻이다. 그런데 사람들은 일이 잘 풀리지 않고 오히려 꼬이기만 할 때 '머피의 법칙'이란 말을 쓰게 됐다. 지금이 그런 상황이다. 우리 모두는 5분 전까지 켜져 있던 컴퓨터를 분명히 보았다. 그런데 결정적인 순간에 작동이 안 된다. 이렇게 '머피의 법칙'을 설명하고 있는 순간 컴퓨터가 켜졌다. 시청각자료실직원이 중간에 연결된 코드가 빠졌었다고 했다. 비디오촬영 팀이 이동하다 발로 차고 지나간 것 같다고 한다. 우여곡절이 있었지만 욕심을 버리니 대본 없는 강의가 되었다. 오히려 강의를 자연스럽게 즉흥적인 유모를 섞어 재미있게 진행할 수 있었다. 경쟁은 포기한 상태지만 참석자 모두에게 박수를 받았다. 나름대로 강의는 성공했다고 생각했다. 이제 심사평을 들어야 한다. 모든 심사위원이 순서대로 심사평을 한다. 의외로 칭찬이 이어진다. 위기 상황에서 '머피의 법칙'이라는 적절한 사례를 제시했고, 강의 흐름을 끊지 않은 것을 높이 평가한다고 이구동성으로 말했다. 위기는 위협과 기회라는 한자가 합쳐진 단어다. 나는 위협을 극복하고 기회를 잡았다. 모든 부대 심사가 끝난 한 달 뒤, 공군최우수교수로 선정되고 참모총장상을 확보했다. 부상도 있었다. 수상자는 고급지휘관참모과정에 포함된 동남아 3개국 산업시찰 때 동행했다. 중령진급 후에는 심사위원에 선발되어 전국을 순회했다.

이때 또 다른 행운이 겹친다. 당시 대학에서 발행하는 학술지가 있었다. 기고해서 채택되면 원고료를 지급하는데 비상금으로 쓰기 충분하다는 말을 들었다. 당시 한참 일본과 독도문제에 대한 갈등으로 우리 군에서도 일본의 군사력에 대한 경계심이 높을 때다. 우연히 일본의 군사력에 대해 연구된 단행본을 읽었다. 일본의 전력증강이 심각하다 생각하고, 우리나라 군사력과 비교하고 경계해야 한다는 평론을 썼다. 그리고 대학학술지에 기고했다. 시대적 상황과 타이밍이 맞았던 것 같다. 국방부에서 주관하는 전군학술지심사에서 우수논문으로 선정되어 국방부장관상을 확보했다. 그래서 대학총장상, 참모총장상, 국방부장관상을 한 번에 받게 되는 행운이 있었다. '머피의 법칙'과 반대되는 개념을 '셀리의 법칙'이라고 한다. '셀리의 법칙'은 미국 영화감독인 라이너의 영화 '해리가 셀리를 만났을 때'에서 유래됐다. 인생에서 잘 될 가능성이 있는 일은 우연이라도 꼭 그렇게 된다는 법칙이다. 내가 경험했던 모든 일이 두 법칙에 적용되는 것 같다.

이렇게 이런저런 일이 있다 보니, 공군대학총장님과 친해졌다. 총장은 전투기조종사 출신으로 정치학박사다. 학구열이 높고, 교수들의 전문성을 존중해주는 보기 드문 장군이다. 그래서 강의에 대한 관심도 많다. '한반도 정세'에 대한 특강을 자주한다. 하루는 나를 부르더니 강의 자료를 파워포인트로 만들어 달라고 부탁을 했다. 그리고 특강할 때 강의에 참석해서 컴퓨터조작을 도와 달라고 한다. 사이드 잡이지만 거절할 수는 없다. 그렇게 해서 모든 특강일정에 관여를 하고 강의결과에 대한 피드백도 했다. 그러던 어느 날 총장실에서 호출이 왔다. 교수로 성장하려면 박사학위가 필요하니 공부를 더 해보라고 권했다. 결연대학총장과 협정을 맺었는데 박사과정에 합격하면 50% 장학금을 주기로 했다고 한다. 나를 위한 배려였다. 인생은 뿌린 대로 거둔다고 한다. 사심 없이 한 일이 큰 보답으로 돌아온다. 나도 공부를 더하고 싶다는 생각을 하고 있었다. 국방대학원출신은 보통 군사전문가로 분류된다. 그런데 군에는 군사전문가들이 너무 많다. 경쟁력확보를 위해 다른 학문이 필요했다. 고민 끝에 경영학을 선택했다. 그동안 내 경력 중에 대외적으로 밝히지 않은 것이 있었다. 국방대학원합격전인 사관학교에 근무 할 때 인근 대학 경영대학원에서 마케팅을 전공하고 경영학 석사학위를 받았다. 그래서 경영학으로 박사과정에 합격하는 것은 어려운 일이 아니었다. 당시 군에서 경영학을 비판적으로 보는 분위기가 있었다. 군인이 돈 버는 학문에 관심이 있으면 안 된다는 일부 무지한 시선 때문이다. 현재 군에는 경영학전공자가 많다. 나는 미래국방관리에 경영학은 반드시 필요 할 거라 생각했다. 총장님배려로 본부승인을 받고 박사과정에 입학했다. 그리고 강의와 학업을 병행하며 국제경영학을 전공하고 박사학위를 받았다. 지금도 경영학공부는 현명한 선택이었다고 생각한다.

공군대학에서의 추억 중에 그냥 지나칠 수 없는 인연이 한 명 있었다. 지금은 잊혀 졌지만, 오래전에는 대한민국 국민이라면 다 알고 있는 사람이었다. 그래서 실명을 사용하기로 한다. 1983년 최초로 전투기를 몰고 귀순한 이웅평 대령 이야기다. 이 대령은 군 기수로 나 보다 7년 선배고, 5년간 함께 근무를 했다. 처음 만남은 공군대학교수로 보임해서다. 이 대령은 중령 때 안보정책교수로 재직하고 있었다. 그리고 대령진급과 동시에 처장이 되었다. 이 대령과 나는 교수연구실이 마주보고 있었다. 나는 그를 처장님이라고 불렀다. 보통 현역군인끼리는 성에 계급을 붙여 부르는데, 그는 나를 이교수라고 호칭했다. 우리는 자연스럽게 많은 대화를 나눌 수 있었다. 그는 원래 평안도사투리가 구수한 달변가다. 게다가 강의경력이 많아 말을 재미있게 잘했다. 그래서 나는 주로 듣는 편이었다. 그런데도 나를 평가 할 때, 대화가 잘 통하는 사람이라고 했다. 이래서 경청이 중요한 거다. 유명인이라 많은 사람들이 친하게 지내려 접근했다. 그런데도 믿을만한 지인 몇 명만 가까이 했다. 그의 경력을 보면 이해 할 수 있는 부분이다. 우리는 자주 저녁식사를 함께 했다. 과거에는 술을 즐겼지만, 어느 순간 건강이 안 좋아져 술을 끊었다. 그는 무뚝뚝해 보이는 외모지만 정이 많은 사람이다. 그는 가족들과 떨어져 혼자 관사생활을 했다. 관사에서 가족과 함께 살고 있는 나와 비교를 했다. 가끔 외로움이 크다는 말을 한다. 그래서 집으로 초대해 가족과 함께 식사도 했다. 한번은 내 사회친구들 모임에도 참석했다. 그때부터 친구들은 이 대령을 형님이라 불렀다. 그러던 어느 날 간경화로 수술을 받게 된다. 입원한 병원에 면회를 갔다. 농담도 주고받을 정도로 빠르게 회복이 진행되고 있었다. 간호를 하던 형수님이 밝은 목소리로 맞아준다. 그렇지만 몸은 지쳐보였다. 내가 생도시절 그녀는 공사출신인 역사학 교수님 딸이다. 나는 그때 사관학교 교회에서 몇 번 본적이 있다. 이 대령이 귀순한 후 한국사를 배우기 위해 교수님 집을 방문하다가, 자연스럽게 만나게 되었다고 한다. 수술을 마치고 아침방송에 출연해 건강을 과시하기도 했다. 그리고 공군대학에 복귀했다. 식사자리에서 시원한 맥주한잔만 마시고 싶다고 한다. 모두 만류했지만, "이 교수, 술 한잔 따라 봐."라며 호기를 부렸다. 나는 5년 임기를 채우고 공군대학을 떠났다. 그리고 잊고 살았다. 2002년 5월, 내가 미국에서 연수중 일 때다. 그는 향년 47세를 일기로 하늘로 떠났다. 나는 이웅평 대령 죽음의 원인은 질병이 아닌 '삶의 무게'였다고 생각한다. 스스로 밝힐 수 없는 많은 스트레스를 가슴에 품고 살았다. 그는 약 보다 소통이 필요한 사람이었다. 다시 한 번 고인의 명복을 빌어본다.

나, 이강효야!

나는 군 복무기간 동안 대부분 교육기관교수 및 교육행정전문가로 활동했다. 은퇴 전까지 군 생활은 자존감과 성취욕이 넘쳤다. 누구도 부럽지 않았던 삶이었다. 은퇴 전 현역시절을 회고해 본다. 조직에서 잘 다져진 인간관계는 삶에 도움이 된다. 나는 교육사령부참모부서인 교육발전처장이다. 사무실 전화벨이 울린다. "통신보안, 교육발전처장입니다." "필승, 법무실장입니다." "어, 오랜만이야." "주말에 시간 되십니까?" "무슨 일 있나?" "오랜만에 운동한번 하시죠." "좋지, 멤버는?" "헌병대대장과 의무실장입니다." "굿, 오케이." 법무실장은 부대검찰책임자다. 헌병대대장은 요즘말로 군사경찰대장이다. 전에 사관학교동기생인 헌병대대장이 주선해 같은 멤버로 운동을 한 적이 있다. 운동 후 식사를 하면서 더욱 가까워졌다. 두 사람은 부서 직원들이 법적문제가 있을 때 부담 없이 자문을 부탁 할 수 있는 사이다. 의무실장은 모임의 막내고 부대병원장이다. 때로는 강한군인처럼 행동하지만, 친절한 의사선생님이다. 군에서 법무실장이나 의무실장은, 각 종교를 대표하는 군종장교처럼 특별한 대우를 받는다. 사회로 나가면 좋은 환경에서 살 수 있는데, 군대가 좋아 장기복무를 선택한 경우라 예우를 해준다. 나는 한 달에 평균 두 번 정도 필드에 나간다. 공군에서는 골프를 운동, 필드를 체력단련장이라 부른다. 사치스런 운동이 아니다. 체력단련장의 목적은 비상사태를 대비해서 부대지휘관, 참모나 조종사들이, 주말에 위수지역을 벋어나지 않도록 하기 위해서라고 한다. 공군에서 골프와 테니스는 대인관계의 필수요소다. 비용은 사회에서 취미로 하는 당구나 볼링수준이다. 나는 사관학교 1학년 때 친구로 부터 골프채를 선물 받았다. 당시 친구형님이 골프채재조공장을 했다. 외출을 나가면 가끔 공장에 있는 연습장을 이용했다. 너무 일찍 골프를 시작해서 그런지 나중에는 흥미를 잃었다. 그래서 따로 연습을 안 하는 만년보기플레이어다. 보기플레이는 중급수준이다. 최고실력자인 친구가 먼저 드라이버를 날린다. "굿, 샷." 다음은 나다. 나는 '도 아니면 모'를 지향하는 장타자다. 그런데 오른쪽 옆구리에 통증이 느껴진다. "몸에 힘이 들어가 그런가?" 대수롭지 않게 생각하고 한 홀씩 이어갔다. 옆구리를 만져보니 주먹크기의 혹이 만져진다. 그 동안 뭉쳐있는 느낌이 있었지만 의식하지 않았다. 운동이 끝나고 사우나에서 다시 확인했다. 아무도 모르게 의무실장 옆에 가서 증상을 말하고 혹을 보였다. 실장은 놀라며 말한다. "이 정도인데 아직까지 참으셨나요?" "처장님, 월요일에 의무실로 방문해 주시죠." "조직검사를 해야 할 것 같습니다." 주말동안 가족에게 말도 못하고 큰 일이 아니기만 바라고 있었다. 월요일 오전 회의를 마치고 의무실로 향했다. 외과군의관이 대기하고 있다. 환자복으로 갈아입고 침대에 누었다. "부분마취 하겠습니다." "얼마 안 걸릴 겁니다." 군의관은 나를 안심시켰다. 그런데 마취가 덜 된 것 같다. 통증을 참기 힘들 정도로 메스가 옆구리속살을 휘젔고 있다. 군의관은 수술경험이 부족해 보였다. 수술하던 손을 자주 풀어주는 모습이 보인다. "너무 깊숙이 박혀있어 시간이 걸릴 것 같습니다." 괜찮다고 했지만 엄청난 고통이다. 약한 모습 보이기 싫어 그냥 참았다. 한 시간 이상 시간이 흘렀다. 군의관이 3센티 정도 크기의 딱딱한 살덩이를 보여준다. 상급부대병원에 조직검사를 의뢰하겠다고 한다. 결과는 일주일정도 걸린다고 했다.

나는 애써 걱정을 감추고 일상으로 돌아갔다. 어느 날 의무실장에게 연락이 왔다. "처장님, 의무실로 와 주세요." 긴장된 마음으로 실장실에 도착했다. 실장은 담당군의관과 함께 서류를 검토하고 있었다. 말없이 조직샘플과 검사결과지를 내민다. 의무실장이 머뭇거리며 "악성종양입니다."라고 조심스럽게 말한다. 검사결과를 보니 암(cancer)이라는 영어단어가 한눈에 꽂힌다. 내가 상상했던 것 중에 가장 최악의 시나리오다. 상급병원에서 재수술을 받아야 한다고 했다. 나는 어떤 일이든 사전에 빈틈없이 준비하는 스타일이다. 그러나 일단 큰 일이 벌어지면 침착해지는 습성이 있다. 나는 조용히 말을 이어갔다. "그 동안 고생했는데 부탁 좀 하세." "이 결과를 비밀로 해 주었으면 한다." "2차 수술은 내가 시내병원에서 할께." "예, 약속 지키겠습니다." 군대는 사회에 비해 소수인원이다. 모든 인맥이 서로 통하기 때문에 소문이 매우 빠르다. 누가 암이라 하면 경미한지 심각한지는 중요하지 않다. 바로 암환자가 되어 전국에 소문이 난다. 과장해서 1주 정도 지나면 6개월 시한부가 된다. 다행히 지금까지 비밀이 지켜지고 있었다. 2차 수술을 위해 며칠간 휴가를 냈다. 아내가 연락했는지 부모님도 오셨다. 전신마취 전, 가족들이 걱정할 걸 상상하니 나도 불안했다. 강심장이 나도 그럴만한 이유가 있었다. 지금부터 장황하게 고등학교 때를 추억해야 한다.

나는 고등학교에 입학해서 평범한 학교생활을 하고 있었다. 그런데 2학년 초에 갑자기 부반장이 되었다. 하루는 담임선생님이 나를 부른다. 부반장이 돼서 교내합창대회참가를 준비하라고 했다. 반장은 선생님이 지목한 친구가 맡고 있었다. 누군가 내가 교회에서 성가대를 하고 있다는 걸 말한 것 같다. 그리고 공부를 제일 잘했던 반장을 보호하려는 의도도 있어 보인다. 2학년 15개 학급만 참가하는 행사다. 학생들 모두가 의무적으로 동참해야 한다. 지휘자나 피아노반주자는 외부에서 초청이 가능했다. 다행히 반에는 피아노연주를 잘하는 음대지망생인 친구가 있었다. 그런데 나는 노래를 가르치거나, 지휘를 할 능력이 안 된다. 지휘자가 필요했다. 동내와 학교는 걸어서 30분 거리다. 그래서 학생부성가대를 지휘하던 음대생인 누나에게 부탁을 했다. 지휘자누나는 예상외로 "좋은 경험이 될 것 같다."며 허락했다. 지금도 기억이 생생한 독일의 작곡가 헤르만 네케의 곡 '우편마차'를 합창곡으로 연습했다. 반 친구들은 지휘자와 내 말은 잘 따라주었다. 순위권에 들지는 못했지만, 모두가 열심히 준비했던 기억이 있다. 이런 경력으로 이름이 알려졌는지, 3학년 때는 선거를 통해 쉽게 반장이 됐다. 그리고 학교로부터 반장임명장과 함께 학도호국단 대대참모라는 임명장도 받았다. 3학년 반장들은 의무적으로 학도호국단간부 직책을 부여받는다. 봉사정신이 필요하고, 시간적으로 희생을 많이 해야 한다. 그래서 서울대를 목표로 공부하는 친구들은 반장되는 걸 거부한다. 재단이사장 겸 교장선생님은 예비역 육군소장이다. 정치도 했었다고 한다. 그래서 학교가 군대식이다. 사관학교처럼 정기적으로 열병과 분열식도 열린다. 군사훈련을 받는 교련시간도 빡세게 돌린다. 대위출신 두 명의 교련선생님은 합법적으로 지휘봉을 들고 다니며 학생들 군기반장역할도 한다. 나는 무슨 인연인지 군과 연관된 학교를 많이 다녔다. 학교에서 직책이 있는 간부는 교복상의주머니에 배지를 달고 다니다. 그래서 서로 알아 볼 수 있다.

3학년 때 잊을 수 없는 같은 반 친구가 있었다. 당시 우리 반은 자율좌석이었다. 등교하는 순서대로 자기가 좋아하는 자리에 앉으면 된다. 학생들을 위한 담임선생님 아이디어다. 대학진학을 포기한 학생들이 뒷자리에 앉는 걸 허락했다. 공부를 열심히 하고, 시력이 안 좋은 학생을 앞자리에 앉게 하려는 배려였다. 담임은 선생님 중에 몇 안 되는 서울대출신이다. 착한선생님으로 소문이 나 있다. 학생들에게도 싫은 소리를 못한다. 그래서 그런지 반장인 내게 모든 권한을 주었다. 나는 교실에서 운동장이 보이는 중간지점 창가자리를 선호했다. 등교시간이 늦은 날이었다. 한 친구가 "반장, 여기야."하며 부른다. 창가 쪽 자리에 책가방을 치우며 앉으라고 했다. 그리고 자신은 내 옆 책상에 앉았다. 친구도 배지를 달고 있었다. 간부들끼리는 서로 다 아는데, 처음 보는 인물이다. 어떤 직책이냐고 물었다. 학도호국단 지휘라인이 아니고, 봉사활동단체인 '청소년적십자(Red Cross Youth)' 간부라고 했다. "좋은 일 하는구나." "고맙다."라고만 하고 그 이상의 말은 이어가지 않았다. 그런데 자리를 맡아 주는 행동이 매일 계속된다. 사실 내게는 그런 친절이 필요 없다. 친구들은 반장에 대한 예우로 이름 대신 '반장'이라 불러주고, 내 자리는 지켜준다. 이런 행동을 하는 이유를 다른 친구에게 들었다. 잘못도 없이 미움 받는 왕따, 그런 친구였다. 그 당시도 불량서클에 가입해서 친구나 후배를 괴롭히는 학생들이 있었다. 친구도 괴롭힘을 당하고 있다고 한다. 그 이유가 친구아버지가 고위공직자고, 부자라서 미움을 받는다고 했다. 혼자 생각했다. "괴롭힘의 이유도 가지가지다." 나도 친구 집에 초대를 받아 가 본 적이 있다. 대통령을 많이 배출한다는 동네, 연희동 그 곳이었다. 그런데 내 옆자리에 앉고 부터 그를 건드리는 친구가 없었다고 한다. 정말 머리 좋은 친구다. 나는 그 사실을 모르고 있었다. 그 친구에게 누군가 장난을 치면 "그만해라."라고 몇 마디 거들었을 뿐이다. 나는 중학교 때까지 체육관대표 태권도선수로 활동했다. 파워는 있었지만 속도가 부족해 성장하지 못했다. 이미 알려진 사실이라 학교에서 실력을 따로 보여 줄 필요는 없었다.

입시철이다. 예비고사와 본고사가 따로 있을 때다. 어느 날 친구가 공군사관학교입학원서를 갖고 왔다. "반장, 나하고 여기 같이 가자." 그 때는 친해진 사이였다. 이과에서 갈수 있는 공사에 목표를 두고 준비했다고 한다. 친구 책가방에는 늘 비행기사진이 있는 영문 잡지가 있었다. 그 것을 펼쳐 놓고 막힘없이 읽는 친구가 신기했다. 그래서 영어를 잘했던 친구로 기억하고 있다. 사관학교는 일반대학보다 2개월 전에 본고사를 본다. 그래서 떨어진다 해도 큰 부담이 없다. 이런 이유 때문인지, 사관학교는 경쟁률이 매우 높다. 나는 초등학교 때 장래희망이 대장이고, 중학교 때는 대통령이다. 뜬금없는 말 같지만, 고등학교 때 희망은 사회경험을 위해 재수를 해보는 거였다. 대학등록금도 벌어야 했기 때문이다. 그래서 대학진학에 대해 정해진 목표가 없었다. 만일 시험을 본다면 내 실력보다 높은 대학을 생각하고 있었다. 지금도 젊었을 때 사회경험이 필요하다는 생각에는 변함이 없다. 결과적으로 친구 때문에 '재수생'이라는 꿈을 이루지 못했다. 나는 그 당시 공군사관학교에 대한 정보가 전혀 없었다. 그래서 조언을 듣기위해 담임선생님을 찾아 갔다. 나는 미래를 누구와 상담해서 결정하는 성격이 아니다. 그러나 담임선생님은 예외다. 늘 나를 믿고 인정해 주었다. 선생님이 습관적으로 하던 말은 "반장은 어떻게 생각해? "반장 말 대로해라."였다. 기억에 남는 일이 있다. 그 동안 많은 상을 받았지만, 한 번도 받아보지 못한 상이 있었다. 개근상이다. 나는 고등학교 졸업식 때 공로상과 함께, 초등학교부터 12년 만에 처음으로 개근상을 받았다. 사관학교 입학시험 때다. 1차 시험인 신체검사를 조건부로 합격했다. 사관학교는 결손치가 5개 이상이면 입학을 못한다. 치아손상을 말하는 거다. 나는 신체검사 결과 충치 7개가 있었다. 그래서 치료를 해야 2차 시험을 볼 수 있는 조건부 합격이었다. 그런데 우리 동네는 치과가 없다. 옛날에는 그랬다. 그래서 시내에 있는 치과를 다녀야 했다. 치료를 위해 조퇴나 결석이 몇 번 있었다. 그런데 개근상을 받았다. 사관학교에 입학하는 나를 위한 선생님의 배려였다. 아직도 성함이 생생히 기억나는 스승님이다. 공군사관학교는 모교를 방문해서 3학년 학생들에게 홍보하는 프로그램이 있다. 그래서 공사입학원서는 늘 교무실에 배치되어 있다. 덕분에 공사제복을 입고 선생님께 감사의 인사를 드릴 수 있는 기회가 있었다. 입시상담을 할 때 선생님은 딱 두 말씀만 했다. "군인이 적성에 맞을 것 같으니 공사에 가라." "이사장님 추천서를 받아 주겠다." 실제로 당시 사관학교입학은 사상검증이 매우 까다롭다. 입학시험보다 신원조회를 통과하는 것이 더 어렵다는 말도 있었다. 그래서 보증인이 있는 건 도움이 된다. 나와 친구는 필기시험과 신체검사를 통과하고, 1차 시험에 합격했다. 하루는 담임선생님께서 나를 교무실로 부른다. 그리고 함께 이사장실로 인사를 갔다. "우리 반 반장인데 공군사관학교 1차 시험 합격했습니다."라고 한다. 이사장님은 밝게 웃으며 "축하한다."하고 악수를 청했다. 그때 담임은 "믿을 만한 학생이니, 보증인이 되어 주십시오."라고 했다. 이사장님은 즉석에서 장문의 추천서를 써서 직인을 찍고 봉투에 넣어 주었다. 많이 해보신 솜씨다. 그런데 이상한 점이 있다. 친구는 어떤 절차를 거쳤는지 기억이 없다. 아마 친구부친이 이사장님보다 높은 공직자라 보증인이 필요 없었을 거라 추측했다. 행운이 하나 더 있었다. 면접시험을 보는 날 사관학교 정문 앞에서 대기를 하고 있을 때다. 추천서봉투를 언제, 어디에 제출해야 하는지를 모르고 있었다. 마치 계급이 소령인 장교가 출근하면서 우리를 바라보며 웃는다. 나는 바로 뛰어가 "장교님, 제가 교장선생님이 써주신 추천서가 있는데 어떻게 해야 하나요?"라고 물었다. 소령은 "그래, 내가 전달해 줄까?라며 웃는다." "예, 감사합니다." 인사를 하고 소령님께 봉투를 건냈다. 그리고 잊고 있었다. 2차 시험은 오전, 오후 조로 나누어 한조는 체력검정, 한조는 면접시험을 본다. 나는 오전에 체력검정을 마쳤다. 상위 10%안에는 들것 같은 자신감이 있었다. 오후에 면접시험을 봤다. 면접시험도 까다롭다. 영어, 수학을 즉석에서 테스트 한다. 다행히 바로 답할 수 있는 문제들이었다. 갑자기 한쪽에서 차가운 목소리로 사관학교 지원동기를 묻는다. 순간 긴장감이 몰려왔다. 나는 고개를 돌려 질문한 쪽을 바라보았다. 깜짝 놀랐다. 아침에 추천서를 받아간 소령님이다. 면접시험관으로 정복을 입고 앉아있었다. 입학 후에 알게 되었지만 생도생활을 지도하는 훈육관은 계급이 대위고, 중대장은 소령이다. 면접관은 중대장 중에 제일 선배인 선임중대장이었다. 실력보다 운이 받쳐준 것 같다. 나는 체력검정, 인물고사라 불리는 면접시험을 통과하고 최종합격했다. 당연히 친구도 합격했을 거라 생각하고 전화를 했다. 친구 어머니가 받는다. 전에 친구 집에 초대를 받아 식구들과 인사를 나눈 사이다. "축하한다." "기대를 많이 했는데, 우리 애는 떨어졌다." "너라도 가서 열심히 해라." 잘 사는 집과 못 사는 집의 차이가 존재한다. 우리 가족들은 대학진학에 대해 아무도 관심이 없다. 그 동안 우리식구나 가까운 친인척 중에 대학을 다닌 사람이 없기 때문이다. 그래서 사관학교 시험 본 걸 말하지 않았다. 최종합격을 하고 어머니께 말했더니 한 말씀하신다. "군인 되면 많이 죽는다는데, 왜 그런 데를 가냐?" 그래도 입학식 때는 부모님이 와서 축하해주었다. 사관학교는 입학식 한 달 전에 가입교를 한다. 4주간의 기본군사훈련을 받기 위해서다. 그런데 가입교하는 날 정문에서 대기하던 중에 친구를 만났다. "어떻게 된 거야?" 놀라서 물었다. 추가합격을 했다고 한다. 나는 진심으로 축하해 주었다. 우리학교에서 사관학교에

2명이 합격했는데, 드라마틱하게 같은 반 짝꿍이다.

세월이 흘러 대위 때다. 나는 사관생도 군사훈련을 담당하는 부서의 과장이었다. 그 때 전투기조종사였던 고등학교동창인 친구가 훈육관으로 부임해 왔다. 오랜만의 만남이라 가족끼리 식사도 함께 했다. 그런데 얼마 후 친구가 피부암으로 입원했다고 한다. 알고 보니 건강이 나빠져 비행을 못하고 교육기관으로 발령을 받은 거였다. 어느 날 친구가 사무실로 찾아왔다. 한국에서는 치료가 불가능해 미국에 간다고 했다. 집이 부자이기에 가능한 일이다. 건강해서 만나자는 인사를 하고 헤어졌다. 6개월 후 퇴근해서 집에 있는데 초인종이 울렸다. 미국에 치료를 위해 갔다는 친구였다. 너무 변한 모습에 처음에는 못 알아봤다. 몸집이 두 배가 되고, 모자를 착용했는데 주변에 머리카락이 하나도 없었다. 나는 본능적으로 느꼈다. "아, 어렵겠구나." 친구는 자동차시동을 켜 놓은 채 서 있었다. 오랜만이라고 하며 나를 안고 눈물을 흘렸다. 나는 말없이 등을 토닥였다. 그동안 무슨 일이 있었냐고 묻고 싶었지만 아무 말도 할 수 없었다. 친구도 보고 싶었다는 말 외에는 어떤 말도 하지 않았다. 3분도 채 지나지 않았다. 얼굴 봤으니 가겠다고 했지만 말릴 수도 없었다. 나는 악수 대신 친구의 두 손을 감싸 쥐고 말했다. 오래된 친구가 아니면 절대로 할 수 없는 말이, 나도 모르게 튀어 나왔다. "편안한 마음으로 마무리 잘해라." 친구는 알아들었다는 뜻으로 고개를 끄덕이며 목례를 하고 차에 오른다. 나는 친구차가 보이지 않을 때 까지 부동자세로 마지막 예를 갖추었다. 눈물이 흘렀지만 닦아 내지 않고 그대로 서 있었다. 일주일 후 친구를 장례식장에서 다시 만났다. 그는 30세 젊은 나이에, 아내와 어린 딸을 두고 떠났다. 그리고 자신의 유일한 친구라고 했던, 나를 두고 떠났다.

갑자기 친구에 대한 기억이 떠오르며 두려움이 밀려온다. 수술이 끝나고 의사가 가족들이 모인 곳에서 말한다. “주변을 다 도려내고 조직검사를 했는데, 다행히 다른 부위로 전이가 안됐습니다.” “지방암 종류인데 항암치료하면 괜찮을 겁니다.”라며 가족들을 안심시켰다. 현재 의학수준에서는 경계성종양으로 분류되어 쉽게 수술이 가능한 암이다. 수술을 마치고 집으로 돌아 왔다. 부모님은 퇴원하는 걸 보고 간다며 집에 있었다. 저녁식사 중에 아버지가 묻는다. 수술이 끝나고 보호자대표로 아버지만 들어왔다고 한다. “너 마취에서 깨어날 때 이상한 소리를 지르더라.” “예, 뭐라 했는데요?” “나, 이강효야!” 하면서 네 이름만 계속 외치더라. 나는 크게 웃었다. 내가 평소에 자신감을 갖기 위해 주문처럼 외치는 말이다. 영화 ‘장군의 아들’에서 “나, 김두한이야!”라고 하던 것을 연상하면 된다. 내가 그 말을 자주 쓰니 한 때는 부대에서 유행이었다. 부대근처 호프집에 들리면 나를 본 후배들이 인사를 대신해 "나, 홍길동이야!" 라고 자신의 이름을 말했다. 지금도 딸은 가끔 전화를 해서 "나, 이강효 딸이야!" 하며 놀린다. 우리 애들은 아빠의 강한 모습을 자랑스러워했다. 이 사건은 내가 또 다른 인생을 사는 결정적 계기가 된다.

물 건너간 애국자

수술을 마치고 아무 일 없었다는 듯 업무에 복귀했다. 그러나 문제는 가정에서 시작된다. 아내는 내 수술을 많이 두려워했다. 공직생활을 하고 정년퇴직한 장인께서 60세 때 대장암수술을 받았다. 그리고 후유증으로 고생하다 돌아가셨다. 아내는 암수술이 과도한 업무스트레스 때문이라 생각했다. 반복되면 재발 될 거라는 우려를 한다. 그리고 애들 교육 때문에 서울서 살고 싶다고 했다. 많이 지쳐 있고 우울증도 심해졌다. 내게 군 생활을 그만 둘 것을 권한다. 서울사람인 아내가 신혼 초부터 친인척도, 친구도 없는 지방에서 살았으니 그런 거라 생각했다. 일 년 전 부터 아내가 미국에 가보고 싶다고 했다. 변화 없는 일상에 지친 것 같다. 아내는 결혼 전에 피아노를 전공한 유치원교사였다. 결혼하고 전업주부가 되었으니 그럴 만하다. 내가 대위 때는 관사에서 피아노개인교습을 했다. 계급사회 특성상 영관장교가 되서는 체면상 할 수 없었다. 내 건강 때문에 아내는 우울증과 갱년기가 합쳐져 내적갈등이 더욱 심해진 느낌이다. 아내는 평소에 명랑하다가 컨디션이 안 좋아지면 많이 예민해 진다.

이유가 있다. 첫째 애가 태어나고 8개월 후, 아내는 자신의 생일에 맞춰 처가에 다녀 온 다고 했다. 생일 전날 처제가 운전하는 차로 새벽시장 옷 쇼핑을 위해 출발했다. 도중에 과속덤프트럭과 충돌해 처제는 현장에서 사망했다. 아내는 뇌수술을 받고 구사일생으로 목숨을 구했다. 무용을 전공한 처제는 미래가 밝은 인재였다. 그러나 26세 꽃다운 나이에 하늘로 갔다. 아내는 신체가 마비돼 6개월간 중환자실에 있었다. 그 후 자신 때문에 동생이 죽었다는 죄책감에 심한 우울증이 생겼다. 아내는 애들 교육목적상 해외경험이 필요하다고 했다. 서울에서 살고 싶다는 의미임을 알고 있다. 더 이상 반대 할 수가 없었다. 인생을 한 직업만 갖고 사는 것이, 내게 어울리지 않는다는 생각도 했다. 매일 반복되는 변화 없는 일상으로 매너리즘에 빠져있는 상태다. 그리고 넓은 세상에서 새로운 일에 도전을 하고 싶었다.

2년 전 해외연수를 가겠다고 공군본부에 신청한 적이 있다. 반영이 50%도 안 되는 확률이라 큰 기대는 없었다. 본부 담당부서에 근무하는 후배에게 전화가 왔다. "선배님, 신청한 1년짜리 미국연수가 통과됐습니다." "올해 안에 출국해야하니, 준비하셔야 할 것 같습니다." 운이 좋았는지, 누군가 도움을 주었는지 후배에게 감사를 표했다. 그런데 2001년 9월 11일 미국에 비극적인 사건이 벌어졌다. 이슬람 테러단체 알카에다가 일으킨 항공기납치테러사건이다. 뉴욕 맨해튼에 있는 세계무역센터인 쌍둥이타워가 무너졌다. 그리고 미 국방부펜타곤건물 일부가 폭발했다. 모든 연수일정은 무기한 연기되거나 취소됐다. 다행히 가족들에게는 미국연수를 간다는 걸 얘기하지 않았다. 해외연수는 예산이 맞물려 늘 변수가 생긴다. 그리고 2년 후 있을 대령진급을 위해 보직관리를 해야 했기 때문이다. 그래서 최종결정을 하지 않은 상태였다. 2개월 후 연수에 대한 최종결과가 나왔다. 12월 말 부터 출국가능하고, 기간은 반으로 줄어 6개월로 결정됐다. 내가 미국연수를 결정하는 과정에는 많은 심사숙고가 있었다. 군인이라는 직업에 대한 자긍심이 높았던 터라 쉽지 않았다. 그러나 가족을 생각하지 않을 수 없다. 면역력이 약해진 건강도 염려됐다. 최종결심을 하고 멘토 역할을 해주던 고등학교동문이며, 사관학교 5년 선배께 전화를 했다. 일주일 전 본부에 근무하는 선배가 검열단장으로 우리부대를 방문했었다. 선배는 나를 따로 불렀다. 미국 갈 생각 말고 대령진급을 위한 보직관리를 하라고 조언했다. "선배님, 생각 많이 했는데 아무래도 미국에 가야 할 것 같습니다." "다녀와서 군 생활 마무리 하겠습니다." "알았다, 그 고집 누가 말리냐?" "너 미국 간다 할 때부터 그럴 거라 생각했다." "돌아 올 때까지 비밀로 할 테니 잘 다녀와라." "알겠습니다." "다녀오면 모교에서 근무하다 전역할 수 있도록 해주세요." 대답 없이 뚝 끊어버린다.

나는 미국 플로리다주립대(FSU) 교육체계개발연구소(LSDI)에 연구원자격으로 입국을 허락 받았다. 미국은 북아메리카 대륙에 있고 50개 주로 구성된다. 내가 가는 도시는 플로리다 주 수도인 탈라하시다. 플로리다는 미국의 남동부에 있다. 멕시코만과 대서양사이에 있는 우리나라와 같은 반도다. 기후는 우리가 잘 알고 있는 하와이를 연상하면 된다. 인구는 2천 2백만 명으로 캘리포니아, 텍사스 다음으로 미국에서 세 번째로 인구가 많은 지역이다. 주요 도시는 마이애미, 탬파. 잭슨빌, 올랜도가 있다.

12월 24일 한국을 출발했다. 내가 먼저 출발하고, 일주일 후 가족들이 오기로 했다. 미국에 도착해서 생활 할 집과 살림살이, 그리고 애들 학교문제를 해결하기 위해서다. 한국을 출발해 텍사스 주 달라스공항에서 환승 후, 조지아 주 애틀랜타공항에 도착했다. 911 테러 영향으로 출발부터 미국입국까지 자존심이 상할 정도로 검문검색이 엄격했고, 많은 시간이 소요됐다. 공항에는 사관학교 4년 후배가 마중 나와 있었다. 주립대에서 박사과정위탁교육 중이다. 한국은 겨울인데 후배는 반바지에 샌들을 신고 왔다. 공항으로 부터 자동차로 4시간 거리에 목적지가 있다. 날씨는 후덕지근하고 가끔 집중호우가 발목을 잡는다. 후배도움으로 생활에 필요한 모든 것들이 갖춰졌다. 일주일 후 가족들이 도착했다. 딸은 중학교 1학년, 아들은 초등학교 4학년에 입학했다. 미국생활은 순조롭게 출발됐다.

연구소에서 나를 도와 줄 박사과정유학생을 소개했다. 5년 전 한국에서 온 밝은 성격의 여학생이다. 통역과 학교생활전반에 대해 많은 도움을 주었다. 강의나 세미나에 참석해서 청강하는 폼도 잡아 봤다. 불행하게도 내용을 전혀 알아들을 수 없다. 출발 전 받았던 영어교육은 아무 소용이 없었다. 귀국 후 본부에 제출할 연구보고서를 써야했다. 나를 초청한 사람은 70세 넘은 노 교수로 연구소설립자다. 교육학박사인 사관학교선배 지도교수였다. 그 선배의 도움으로 초청장을 받았다. 대학의 유명인사로 만나기 위해서는 사전예약을 해야 한다. 무언가를 배우고 토론할 대상이 아니다. 그래서 연구실 박사과정학생을 통해 자료수집에 집중했다. 연구소에서는 특별히 할 일이 없다. 그래도 무언가 결과를 들고 가야한다. 한동안 많은 고민을 했다. 무료한 학교생활을 하던 중 외국인을 위한 교육프로그램이 있다는 걸 알았다. 프로그램의 목적은 유학생과 가족을 위한 영어교육과 문화교류다. 그래서 매일 오후에는 '국제친선클럽'에 참여하게 됐다. 그 곳에서 많은 외국인친구들을 만났다. 어느 단체나 유유상종이다. 한국 사람도 있었고, 주로 동남아 국가의 친구들과 각별히 친하게 됐다. 특히 20대 필리핀 유학생 부부와 친구가 되어 서로 도움을 주는 관계가 된다. 차가 필요할 때는 내가 도와주고, 친구는 외국인교회를 소개했다. 주일예배나 교회파티에 우리 가족을 초대했다. 나는 이 프로그램을 보고서로 작성했다. 우리나라 군 대학기관은 소령이상 외국군장교들이 위탁교육을 온다. 이들과 가족에게 한국생활을 도와주기 위해 이런 유사한 프로그램이 필요다고 생각했다. 점차적으로 우리나라도 다문화가정이 증가하고 있다. 그들이 한국사회에 안정된 정착을 위해서는 언어와 문화적 차이를 극복해야 한다. 그래서 지금도 이런 연구는 여러 분야에서 지속되고 있는 걸로 알고 있다.

미국생활에서 느낀 점이 하나있다. 한국은 사람을 만나면 나이부터 물어 본다. 먼저 서열을 정하자는 한국문화의 특성이다. 그래서 나이가 깡패라는 말도 있다. 그러나 미국에서는 누구도 나이를 물어보는 사람이 없다. 모두 다 친구다. 20대 학생도, 교수도 친구다. 그런데 내 꼰대근성은 미국에서도 드러났다. 내가 만나는 학생들과 식사를 함께 하는 일이 많았다. 더치페이 습관이 없는 나는 한국식으로 연장자인 내가 늘 식사비를 냈다. 그래서 식비가 계획보다 많이 지출됐다. 집과 가까운 거리에 한국식품점도 있고, 이민자가족들도 있어 외로움은 없었다. 특히 좋았던 점은 대학소속골프장이다. 학생과 대학관계자는 1년 회비가 우리 돈으로 15만원이다. 비용도 안 들지만 완전히 황제골프다. 아내와 가끔 주중에 골프장을 가면 우리부부 외에는 아무도 없다. 날씨가 너무 더운 이유도 있다. 그런데 이것도 하루 이틀이지 지루해진다. 그럴 때 쯤, 한국에서 두 명의 교수가 교환교수로 대학에 왔다. 나는 연구소 소속이지만 구속 없이 자유롭게 생활할 수 있었다. 교환교수도 안식년처럼 같은 조건이다. 두 교수는 골프마니아였고, 실력도 나보다 한수

위다. 골프친구로는 천군만마였다.

조용한 일상이 지나고 있을 때, 아내는 아들이 다니는 학교에서 전화를 받았다. 영어를 알아듣지 못해 후배에게 도움을 요청했다고 한다. 나는 바로 후배에게 전화를 했다. "무슨 일 있었냐?" "선배님 큰일 났어요." "형수님 전화 받고 학교에 전화했는데, 내일 학교로 오시라고 합니다." "무슨 일인데?" "막내가 학교에서 폭행을 했다고 합니다." "여기는 한국과 달라 이런 일에 추방당할 수도 있어요."라며 겁을 준다. "우리 애는 절대 그럴 친구가 아닌데?" 혼잣말을 하며 서둘러 집에 도착했다. 아들에게 무슨 일 있었냐고 물었다. 백인학생이 흑인학생을 계속 괴롭히는 걸 보았다고 한다. 몇 번을 참다, 그만하라 말렸다고 한다. 그랬더니 싸움을 걸어와 화가 나서 발차기로 가슴을 때렸는데 쓰러졌다고 했다. 아들은 1학년 때부터 태권도를 배운 유단자다. 그리고 초등학생 입에서 '인종차별'이란 용어가 나온다. 아들도 알게 모르게 그런 일을 당했던 것 같다. 많이 인내하다가 화를 냈을 거다. 한국에서도 문제일 수 있는 일인데, 여기는 미국이다. 일이 어떻게 커질지 모른다. 후배에게 전화가 왔다. "선배님 혹시 군복 가지고 오셨나요?" "그래, 정복은 가지고 왔지." "내일 저와 함께 학교에 가시고, 정복 입고오세요." "가서는 말을 못 알아듣는 것처럼 행동하세요." "나머지는 제가 알아서 하겠습니다."라고 했다. 우리 애와 후배아들은 동갑이다. 후배는 같은 경험이 있었던 것처럼 자신감이 넘쳤다. 학교에 가니 교장선생님과 담임선생님이 있었다. 나는 인사말을 하고 듣고만 있었다. 분위기가 생각보다 심각하지 않았다. 백인학생이 이런 문제를 여러 번 일으킨 적이 있었고, 담임선생님이 피해학생 부모님을 설득했다고 한다. "다친 곳이 없으니 문제 삼지 않겠다."라고 했다고 한다. 오히려 교장선생님은 나를 보고 걱정하지 말라며 위로를 했다. 그리고 공군이냐고 하며 계급을 물어본다. 자신의 친척 중에 한국전 참전용사가 있다고 자랑스럽게 말한다. 미국은 군인에 대한 예우가 특별하다. 특히 911테러사건 이후라 더욱 그랬다. 다행히 후배와 담임, 교장선생님 도움으로 사건은 종결됐다. 인종차별은 미국만의 문제는 아니다. 세계 각국에서 벌어지고 있다. 다민족이 더불어 살아가는 한국도 예외는 아니다.

이 사건이후 나는 생각이 깊어졌다. 학교가고, 골프치고, 쇼핑하고, 외식하는 일상의 반복이다. 이러한 미국생활이 더 이상 도움이 될 것 같지 않았다. 말도 못 알아들으며 학교를 가야하는 애들도 힘들 거라 생각했다. 특히 내가 없으면 집에만 있어야하는 아내에게 미안했다. 이제 한 달 남았다. 무언가를 해야 한다. 여행계획을 세웠다. 나는 연구소에 여행계획을 통보하고, 애들 학교에 연락을 했다. 미국은 부모와의 여행은 출석처리를 해준다. 내가 살고 있는 플로리다 주를 첫 번째 목적지로 삼았다. 많은 도시를 방문했지만, 기억에 남는 것은 디즈니월드다. 엄청난 규모와 다양한 볼거리에 감탄했다. 아내와 애들이 좋아 하는 걸 보고 만족했다. 일주간 플로리다 여행을 마치고 집에 도착했다. 여독을 풀고 다음 계획을 위해 차량을 점검했다. 미국에 도착해서 바로 구입한 미국산중고차다. 후배가 일본산을 추천했지만, 내 고집으로 미국산을 선택했다. 다행히 큰 고장 없이 여행에 도움이 됐다.

유명관광지라도 오래 머물면 지루해진다. 그래서 애들에게 다양한 경험을 주기위해 가급적 많은 도시를 방문하는 걸 목표를 삼았다. 그리고 군인신분으로 연수를 왔기에 한국전참전용사비가 있는 워싱턴과 뉴욕 911테러현장은 반드시 방문해야 한다는 생각을 하고 일정을 잡았다. 동부해안선을 따라 미국의 수도 워싱턴 DC에 도착했다. 백악관이 있는 워싱턴 DC는 정식명칭이 '워싱턴 컬럼비아 특별구'다. 워싱턴에서는 교육목적상 볼 것이 많아 한국인가이드를 하루 고용했다. 백악관, 국회의사당, 링컨기념관, 워싱턴기념탑, 한국전참전용사기념비가 있다. 도시는 볼거리도 많고 깔끔하게 잘 정돈돼 있었다. 가이드가 안내한 명품관에서 가방과 장지갑을 세트를 구입했다. 아내를 위해 처음으로 큰돈을 썼다. 오랜 여행일정에 피곤해하더니 선물을 받고 얼굴이 활짝 핀다. 다음 목적지는 뉴욕맨해튼이다. 워싱턴을 떠나 뉴욕을 향해 가다보면 국방부인 펜타곤이 보인다. 테러로 파괴된 곳이 수리가 됐지만, 멀리서 봐도 표시가 났다. 맨해튼에 도착했다. 맨해튼은 미국뉴욕의 자치구 중 인구 밀도가 가장 높고 유명한 허드슨 강이 흐른다. 먼저 시내 중심가로 차를 몰아 테러로 무너진 쌍둥이빌딩자리로 향했다. 잘 정돈되어 흔적을 찾을 수 없지만, 추모객들이 아직도 많았다. 교통이 혼잡해 오래 머물지 못하고 센트럴파크로 향했다. 공원규모는 여의도면적보다 넓은 상상을 초월하는 규모다. 현장에서는 그 규모를 가늠 할 수 없다. 지극히 일부만 볼 수 있다. 다행히 주차장에 차를 세우고 오랫동안 머물 수 있었다. 다양한 공연과 놀고, 먹고, 보고 시간가는 줄도 몰랐다. 자유의 여신상을 보려면 배를 타야 하는데 시간이 늦어 불가능하다. 멀리서 바라보며 사진만 남기는 걸로 만족했다. 다음 목적지는 나이야가라 폭포다. 폭포를 가는 도중 우연히 연락된 시카고 친구 집에서 밤새 가족파티를 즐겼다. 나이아가라 폭포는 미국과 캐나다국경에 걸쳐 있다. 이구아수 폭포, 빅토리아 폭포와 함께 세계 3대 폭포로 유명하다. 미국에서 보는 경치보다 캐나다 쪽에서 보는 경관이 좋다는 말을 들었다. 나는 캐나다국경을 넘는 걸로 결정했다. 검문소를 보고 긴장했지만 국경을 넘는 절차는 너무 간단했다. 여권을 주니 도장을 찍고 인사말을 하며 여권을 내준다. "우리도 남북한이 이렇게 왕래하면 얼마나 좋을까?"하는 생각도 했다. 도착하니 가슴이 뻥 뚫리는 것 같은 시원한 기분이다. 여기서는 사진을 안 남기면 후회 할 것 같은 풍경이다. 배를 타고 폭포 밑에까지 가서 흠뻑 물 파편을 맞는 기분도 즐겼다. 이후 많은 도시를 방문하고 3주간의 여행을 마무리 했다. 먼 훗날 애들에게 미국에 갔던 일 기억하냐고 물었다. 나보다 더 정확하게 기억하고 있었다. 그 때 보람을 느꼈다. 이제 한국에 돌아가야 할 시간이다. 선물을 준비해 그동안 도와 준 분들께 감사를 표하고 작별을 고했다. 아내는 기회가 되면 애들을 미국에서 공부 시키고 싶다는 말을 한 적이 있다. 다행히 미국에 유학시키겠다는 꿈은 접은 것 같다. 가족들은 타향살이 해보니 한국이 살기 좋다는 걸 더 느꼈다고 했다. 물 건너 가봐야 애국자가 된다는 말이 실감난다. 6개월의 짧은 기간이었지만 기억에 오래 남을 것 같다. 귀국하니 공군사관학교로 발령이 나 있었다. 영광스럽게 군에서 마지막 보직이 모교에서 후배를 양성하는 임무다.

물처럼 바람처럼 사는 삶

미국연수를 다녀와 공군사관학교 소양교육처장에 임명됐다. 전역 전에 모교에서 후배를 양성하고 싶어 했던 바람이 이루어졌다. 나는 서울에서 졸업을 했지만, 현재는 청주에 있다. 생도들 소양교육과 심리학을 담당하는 부서다. 심리학교수들은 사관생도 심리상담이 주 업무다. 소양교육은 각 분야 전문가인, 외부에서 초빙된 교수들에 의해 운영된다. 나는 오래전 군사학교관과 군사훈련처장 경력이 있다. 그래서 교육부서 업무는 보고를 따로 받을 필요가 없을 정도로 익숙하다. 모든 부서원들과 교수들은 이미 서로 잘 알고 있는 사이다. 귀국 후 아내의 소원대로 처가가 있는 일산으로 이사했다. 아내는 절약정신도 있고, 재테크에도 능했다. 내 월급만으로는 불가능한 아파트구입이 가능했다. 덕분에 내가 집안일에는 신경 쓸 일이 없었다. 가족들 모두 만족했고, 나도 홀로 관사생활의 자유를 즐겼다. 동료나 부서원들이 내가 혼자 있다는 걸 알고부터 저녁식사초대가 많아진다. 주중약속은 월요일에 다 차고, 골프예약을 하는 화요일은 주말약속이 잡힌다. 그러다 보니 매일 술을 마시게 된다. 당시 군인들 음주문화는 유명할 정도로 과격했다. 과격하다는 표현이 폭력을 의미하는 것이 아니라, 술 마시는 시간과 음주량에 대한 경쟁심이다. 얼마동안은 도끼자루 썩는 줄 모르고 모임을 즐겼다. 주말에 집에 가는 것도, 한 달에 두 번에서 한 번으로 줄었다. 그렇게 6개월 정도 지났을 무렵 반성의 시간이 온다. 내 장점은 어떤 일이든 중독수준에 빠져들 때쯤 정신을 차린다. 이러한 성격으로 인해, 실패를 해도 다시 일어설 수 있었다. 그리고 상식에 벋어나지 않고 정도를 걷기위해 노력했다. 나는 지금 군 생활의 마지막 임무를 수행 중이다. 유종의 미를 거두고 미래를 준비해야 한다. 누군가 그 동안 수고 했는데 쉬어가라 한다. 그러나 마무리를 잘못하면 그 동안의 수고와 명예를 잃을 수도 있다. 평소보다 더 열심히 일했다. 부서 직원들이 힘들었을 것 같다.

건강과 체력증진을 위해 교내체육관과 볼링장을 자주 찾았다. 사관생도는 태권도, 유도, 검도 중 하나를 택해 유단자가 돼야한다. 생도를 지도하는 무도교수들은 오랜 세월 친분을 유지해 온 사이다. 먼저 탁구시합이 시작된다. 친목도모를 위해 저녁내기를 한다. 내가 자주 사는 편이지만, 덤으로 내가 상대적으로 부족한 유도와 검도개인교습을 받기도 했다. 그러다 보니 생도들 승단심사 때 함께 심사를 받을 수 있는 기회도 있다. 나는 10년 전 사관학교에 근무할 때, 장교와 부사관으로 구성된 볼링동호회 '이글스'의 창단 멤

버였다. 볼링장마다 주관하는 작은 대회에 참가해 입상도 몇 번 해봤다. 제일 큰 대회참가는 청주시장기볼링대회다. 개인전은 순위권에 들지 못했지만, 3인조 팀 경기에서 우승을 했다. 우승 깃발이 1년 동안 학교볼링장에 전시됐다. 그래서 당시 청주에서는 유명한 볼링동호회 중 하나였다. 아직도 장기 근무하는 교수들을 중심으로 동호회의 명맥을 유지하고 있었다. 과거처럼 적극적으로 활동을 하지 못했지만, 과거를 회상하며 가끔 볼링을 즐겼다. 골프도 끊고, 저녁식사 약속을 줄이니 시간이 많이 남는다. 당연히 술좌석도 줄어들어 정신이 맑아진다.

"청산은 나를 보고 말없이 살라하고. 창공을 나를 보고 티없이 살라하네. 탐욕도 벗어 놓고 성냄도 벗어 놓고, 물처럼 바람처럼 살다가 가라하네." 나는 배워 보고 싶었던 붓글씨를 위해 서예학원을 찾았다. 학원에 들어가니 대부분 한자로 된 족자들이 걸려있었다. 그 중에 한글로 예쁘게 쓴 시 한편이 눈에 들어온다. 나도 그렇게 살고 싶어 암기하고 있던, 고려 말 불교계의 큰 스승 나옹선사의 시다. 서예선생님의 인자한 성품과 친절한 가르침이 기억에 남는다. 6개월도 채 안 되는 짧은 배움의 기간이었다. 은은하게 퍼지는 묵향은 어떤 고급향수도 비교 할 수 없다. 글자마다 정성을 다했던 그 때가 마음을 다스리는 최고의 시간이었다. 붓글씨를 쓰고 나면 가까운 거리에 있는 단전호흡도장을 찾는다. 나는 어느 도시에 있건 단전호흡도장은 무료로 이용이 가능하다. 과거 아내가 교통사고후유증으로 몸과 정신이 병들었을 때다. 나는 치유를 위해 당시 이름 있던 단전호흡도장을 찾았다. 처음에는 부부가 함께 시작했지만, 시간을 낼 수 없어 아내 혼자 하게 되었다. 그때 효과를 보았는지 아내는 평생회원에 등록했다. 한명이 평생회원이 되면 자동으로 부부가 평생회원이 된다. 낮에는 군복, 퇴근 후는 개량한복을 입고 폼 잡았던 시절이다. 일과 생활에 조화가 있었던 최고의 시간이었다.

이렇게 1년의 시간이 지나고 명예전역을 신청했다. 그 당시에는 명예전역제도가 있었다. 군 생활이 남아있는 조기전역자를 대상으로 심사를 한다. 통과하면 남은 군 기간을 환산해서 추가로 퇴직금을 더 주는 제도다. 다행히 명예전역이 확정되었다. 명예전역금은 아파트평수를 늘려 이사하는데 충분했다. 전역이 확정되면 최고 1년간의 휴직이 보장된다. 나는 1년 동안 현역신분을 유지하면, 다음 계획에 차질이 있을 거라 생각했다. 그래서 3개월 정도 휴직기간을 정하고 전역날짜를 잡았다. 그 동안은 친구회사에 출근하며 경영수업을 받았다. 전역신고를 하고 아쉽지만 군복을 벗었다.

천국과 지옥은 한걸음 차이다. 모든 것을 정리하고 집으로 돌아왔을 때다. 처음에는 오랜만에 가족들이 함께 모여 즐거운 시간을 보냈다. 그러나 그것도 잠시다. 부부가 함께 붙어 있는 시간이 많다 보니 의견충돌이 계속 생긴다. 아내는 불확실한 미래에 불안감도 있는 것 같다. 그 동안 떨어져 살다 합치니 불편함도 있어 보인다. 가까이 있는 처가식구들과 사는 것에 더 익숙해져 있다. 나도 시간이 지날수록 집에 있는 시간이 불편해진다. 마치 처가살이하는 느낌이다. 돌이켜 보면 그 동안 우리 부부는 많은 위기가 있었다. 성격차로 일상적 대화에도 다툼이 많았다. 매일 붙어 있으니 서로가 힘들어 한다. 아내도 고집 있고, 소통부족인 내 성격에 힘들었을 거다. 남자들 대부분 은퇴 후에 가정에서 겪는 일이라는 말을 많이 들었다. 남의 일이라 생각했는데, 나도 같은 입장이다. 은퇴 전에는 다툼이 있을 때 집을 나와 군대동료들과 술잔을 기울이며 화를 풀었다. 이제는 갈 곳도 없고, 위로해 주는 사람도 없다. 나는 사업을 준비해야 한다는 핑계를 대고 가방하나 들고 집을 나왔다. 아내도 동의했다. 내 잘못이 많다는 걸 인정하면서도 서운한 마음도 있었다. 그러나 그 원인은 여자의 마음을 이해하지 못한 내 잘못이 많았다.

젊은 시절에는 연애를 하는 것 보다, 친구들과 어울리는 걸 더 좋아했다. 연애는 시간낭비라 생각했다. 그러나 독신주의는 아니었다. 언젠가 하늘이 정해준 인연이 나타나면 그때 결혼하면 된다는 생각이었다. 학창시절에는 중학교 때만 버스로 통학을 했고, 나머지는 학교와 집이 가까워 걸어 다녔기에 어떤 추억을 만들기도 어려웠다. 재수를 해 본 경험도 없고, 공부를 더 잘하기 위해 학원을 다녀 본 일도 없다. 한마디로 연애에 대한 관심도 기회도 없었다.

사관학교 때도 집이 가까운 거리에 있었다. 외출을 나오면 택시를 타로 바로 집으로 와서, 할머니가 차려준 식사를 하는 것이 고정된 일과였다. 그때는 어릴 적 나를 키워준 할머니께 할 수 있는 효도라고 생각했다. 할머니는 내게 밥상을 차려 주기 위해 일주일간 반찬을 만드는 일이 유일한 즐거움이라 했다. 사관학교는 3금 제도가 있다. 술, 담배, 결혼을 금지하는 거다. 나도 술, 담배를 소위로 임관하고 시작했으니, 사회친구들에 비해 늦은 편이다. 늦게 배운 도둑질이 날 새는 줄 모른다고 아직도 못 끊고 있다. 또한 여자를 사귀면 당연히 결혼까지 해야 한다는 철없는 생각도 일조를 했다. 장교는 젊은 나이 때 부하를 교육하고, 통솔해야 하는 임무가 주어진다. 그러다 보니 나이에 비해 어른 대우를 받는다. 그래서 20대 후반기가 되면 노총각 소리를 듣고 "언제 결혼해?"라는 질문을 자주 받는다. 맞선 신청도 많이 들어온다. 나도 어머니의 성화로 몇 번의 맞선을 봤다. 그러나 지방에서 근무하는 여건과, 바쁘게 돌아가는 부대 사정상 장거리 만남은 불가능했다. 그러던 어느 날 주말에 집에 가겠다고 어머니께 전화를 했다. 어머니는 집에 오지 말고 바로 여의도에 있는 교회로 오라고 했다. 알고 보니 맞선 자리다. 교회에서 중매를 했다고 한다. 일단 많은 부분에서 내가 생각하는 이상형과 일치했다. 그로부터 두 달 보름 만에 결혼식장에서 만났다. 그날이 총 6번째 보는 날이다. 말 그대로 속전속결이다. 서로 모든 것을 알 수 있는 시간이 아니다. 그로부터 15년이 지난 오늘 위기가 왔다. 명절 때 애들하고 식사를 하는 자리에서 큰 딸이 말한다. "엄마, 아빠는 붙어 있으면 빵점이고, 떨어져 있으면 백점이야." 아무리 숨기려 해도 자식들은 다 알고 있다. "남자는 자신을 알아주는 사람을 위해 목숨을 바치고, 여자는 자신을 사랑해 주는 사람을 위해 목숨을 바친다." 이 쉬운 진리를 왜 서로 알지 못했을까?

4부

운명적 인연과
꿈의 향연

흙 수저와 될성부른 나무

오래전에 최면을 통해 전생체험을 한 적이 있다. 붉게 물든 석양아래 넓은 들판이 보인다. 치열한 전투가 끝났는지 살아 움직이는 사람이 없다. 검 한 자루를 떨구어 잡고, 언덕위에 홀로 서 있는 장군의 모습이 보인다. 빨간색망토를 걸친 장군은 내가 분명한데, 어느 시대인지는 모르겠다. 그때 아들도 함께 했다. 전생이 어항 속 금붕어라 해서 웃었다. 그래서 전생 얘기는 믿거나 말거 나다. 지금이 그 심정이다. 오랜 세월 치열하게 살아 왔다. 그러지만 지금 내 이름이 기록된 재산은 10년 된 승용차와 휴대폰이 전부다. 전쟁에서 영웅의 탄생은 검 한 자루로 시작된다. 다시 시작하면 된다. 내게 소유라는 단어는 중요한 말이 아니었다. 어떤 것을 억지로 가지려고 노력을 해 본적이 없다. 자라온 환경이 이런 성격을 만들었을 수도 있다.

돌이켜 보면 특별한 어린 시절이었다. 나는 흙 수저로 태어났지만 될성부른 나무였다. 내가 가족들과 함께 생활한 것은 초등학교

1학년 2학기부터다. 처음 만난 두 명의 동생도 있었다. 김포에서 조부모님과 살다가 부모님이 있는 인천에 왔다. 부모님은 기차길옆 주택가 단칸방에 살고 있었다. 집 근처에는 외할아버지와 어머니 동생들인 이모, 외삼촌이 함께 살고 있다. 외할머니는 돌아가셨다고 한다. 외가식구들도 당연히 처음 본다. 이래서 어머니가 여기에 정착한 것 같다. 처음 보는 증기기관차가 집 앞을 소리치며 지나는 것이 신기했다. 매일 기찻길이 놀이터다. 친구들과 기찻길 옆 자갈을 누가 멀리 던지나 경쟁을 한다. 지치면 철로위에 못이나 철사를 올려놓고, 기차가 지나가기를 기다려 표창을 만든다. 콩나물과 꿀꿀이죽만 생각나는 가난이다. 당시에는 그것을 당연하다 생각했고, 가난이라는 단어조차 몰랐다. 그러나 가족이 있으니 내게는 처음 경험하는 행복이다.

시간이 흘러 막노동하던 아버지가 철공소취업에 성공해 이사를 했다. 생각해보니 못을 만드는 공장이라고 했다. 집은 공장에서 제공한 사택이었다. 어머니는 과일행상을 했는데, 수입이 아버지월급 보다 많았다고 한다. 경제적 여유가 생겼다. 먼 친척 누나가 와서 가정부역할을 했다. 식사준비도 하고, 동생들도 잘 챙겼다. 내가 동생들을 돌보는 일이 줄었다. 나는 집 근처 초등학교에 3학년으로 전학을 했다. 교복을 입고 빵모자를 쓰고 다니는 사립학교로, 학비가 비싼 곳이라 한다. 태권도를 배우고 보이스카우트 활동도 했다. 어머니는 내 교육을 위해 충분한 투자를 한 것 같다. 3학년 말에 어머니노고에 나도 모르게 보답하게 된다. 담임선생님이 교무실로 나를 불렀다. 네가 결석한 날이 많으니 진단서를 받아 오라했다. 내가 무슨 뜻인지 알아듣지 못하자, 어머니께 보여주라며 메모를 준다. 어머니는 메모를 보고 환하게 웃는다. 나를 데리고 단골의원을 찾았다. "우리애가 우등상을 받는데 진단서가 필요하데요." 늘 머리를 조아리던 어머니가 고개를 들고 의사선생님께 당당하게 말했다. 내가 우등상대상자인데 결석일수가 많았다. 그래서 진단서를 제출해야 상을 받을 수 있다는 거다. 어머니는 내가 조금만 아파도, 태풍이나 폭설에도 학교에 못 가게 했다. 이렇게 건강이나 안전을 최우선으로 생각하는 사연이 있다. 들은 얘기지만 나보다 2살 아래 여동생이 출생신고도 못하고 병으로 죽었다고 한다. 당시는 아이가 병으로 죽는 확률이 높아 출생신고를 늦게 했다. 진단서를 제출했다. 반에서 3명이 우등상을 받았다. 선생님은 먼저 반장을 불러 상장과 함께 비둘기배지를 달아주었다. 그리고 한명의 여학생과 나에게는 토끼모양의 배지를 주었다. 1등은 비둘기 2, 3등은 토끼배지다. 배지는 훈장처럼 교복 깃에 달고 다닌다. 재단설립자가 군인출신이라 이런 독특한 문화가 있었던 것 같다. 내가 다니던 재단은 초등학교부터 전문대학까지 있다. 학교현관에 들어가면 보통 대통령초상화가 걸려 있다. 그런데 우리학교는 별 4개, 대장이라고 불리는 철모 쓴 군인아저씨 초상화다. 이사장은 별 3개 출신이고, 초상화는 그의 형님이라고 했다. 재단명칭은 형제이름을 조합한 거고, 우리학교 이름은 어머니성함이라 했다. 형제간의 우애가 좋고, 효자인건 분명하다. 지금도 이름만 대면 누구나 아는 사람들이다. 당시 내게는 우상처럼 멋져보였다. 이때부터 장래희망을 대장이라 적었다.

이러한 행복도 잠시였다. 어머니는 몸이 약해져 과일 장사를 그만 둔다. 그 동안 모은 돈으로 당시 이자 받고 돈을 빌려주는 일수놀이를 했다. 그리고 교회에서 교인들과 계를 조직한다. 나도 돈 받으러 가는 심부름을 자주 했다. 어머니는 그동안 만성위장병으로 고생했다. 옻이 위장병에 좋다는 소리를 듣고 무허가약장사를 소개 받았다. 위장약을 복용했는데 온몸에 옻이 올라 오랫동안 입원을 했다. 나도 어릴 적 옻나무를 만져 고생한 일이 있는데 유전인 것 같다. 지금도 옻닭을 먹기 전에 알약을 복용한다. 지금 부터는 그 당시 일을 들은 적이 없어 합리적 추측일 뿐이다. 어머니의 장기간입원으로 빌려준 돈을 받을 수가 없었다. 계모임에서 돈을 먼저 받은 교인이 도망가서, 어머니가 책임을 지게 됐다. 입원비도 큰 부담이었을 것 같다. 아버지가 직장을 그만 두고 수습을 했는데 정확한 기억은 없다.

4학년 말에 전주로 이사를 했다. 외삼촌이 방송국악단의 드럼연주자로 취업을 해서, 우리보다 먼저 전주로 이사를 왔다고 한다. 나도 인천에 살 때, 외삼촌이 나무토막에 고무판을 붙이고 드럼연습을 하는 걸 자주 봤다. 너무 멋져보였다. 나도 언젠가는 배워보고 싶었다. 드럼과 섹스폰 연주는 남자들의 로망이기도 하다. 결국 나이가 한참 들어 음악학원에 등록해 드럼을 3개월간 배운 적이 있다. 문제는 연습이나 실습을 할 수 있는 장소가 없다. 그래서 나는 드럼이나 섹스폰 처럼 집에서 연습할 수 없는 악기보다는, 기타와 같이 손쉽게 접할 수 있는 악기를 배우는 걸 권한다. 어머니가 외삼촌께 도움을 요청한 것 같다. 부모님은 외삼촌도움으로 변두리에 방을 얻고, 시장에서 옷 장사를 했다. 나는 겨울방학 때라 부모님이 안 계신 동안, 하루 종일 동생들을 돌봐야 했다. 그 때 배운 밥하는 실력은 지금도 수준급이다.

3월초 개학을 하면서, 5학년으로 전학이 됐다. 며칠 후 축구부 코치가 주말에 1박 2일 전지훈련을 함께 가자고한다. 말 그대로 아닌 밤중에 홍두깨다. 선생님 말씀이니 거절도 못하고 따라 갔다. “지금부터 넌 축구부다.”라며 축구부원들에게 소개를 한다. 내가 운동에 소질이 있었지만 선수를 하는 꿈은 없었다. 당시 체육시간에 여학생은 배구공, 남학생은 축구공을 가지고 놀게 한다. 그 때 축구코치가 나를 눈 여겨 본 것 같다. 하루아침에 축구부팀원이 됐다. 그런데 축구선수 꿈은 일주일도 못 갔다. 그 동안은 몰랐는데 담임선생님이 야구부감독이었다. 초등학교는 실제 운동을 가르치는 사람은 선수출신으로 코치라 부르고, 감독은 선생님으로 행정 업무만 담당한다. 내가 축구부에 들어간 걸 코치가 말한 것 같다. 담임선생님은 내게 수업 끝나고 운동장으로 나오라고 했다. 나는 야구를 해 본 적이 없다. 야구 배트, 글러브, 공도 처음 만져 본다. 선생님은 야구부학생을 멀리 앉혔다. 나 보고 그 곳에 공을 던져 보라고 한다. 투구자세도 몰랐던 나는 무조건 힘껏 공을 던졌다. 순간, 공을 받는 야구부학생 머리위로 높이 한참을 날아갔다. 부끄러워 고개를 숙였는데, 선생님은 박수를 치며 말한다. "너처럼 공을 멀리 던지는 친구는 아직 없었다."며 야구부코치께 "당장 유니폼 가져와."라고 명령하듯 말했다. 축구부에서 일주일간 연습했는데, 유니폼을 구경도 못했다. 그런데 야구공 한번 던지고 유니폼을 받았다. 기찻길에서 돌 던지기놀이를 했던 경험이 나를 야구 선수로 만든다.

첫 날 부터 훈련에 동참했다. 이렇게 해서 포지션이 투수인 야구선수가 됐다. 얼마 후 운동 신경이 좋았던 나는 친선경기에서 선발투수를 했다. 그날 경기에 졌다. 태어나서 처음 맞은 일이 너무 강력해 잊혀 지질 않는다. 경기가 끝나고 학교로 돌아왔을 때다. 정신력이 부족하다며 코치는 단체로 엎드리게 했다. 야구배트로 때리는 일명 '줄빳따'였다. 어린이는 꽃으로도 때리지 말라 했다. 요즘 운동선수들 구타가 없어진 건 다행이다. 나는 맞은 것 보다 패배에 대해 미안한 감정이 커서 더욱 열심히 훈련했다. 이후 공설운동장에서 하는 정식 선수권대회에서 3번 선발로 나가 2승 1패를 했다. 이것이 야구선수로서 공식커리어의 전부다. 비공식적으로는 야구를 더 했던 일이 있다.

중학교에 입학해서다. 지금도 기억이 생생해 잊기 힘든 선생님이 있다. 1학년 때 담임은 미술선생님이다. 장교로 군 생활을 했다고 한다. 무서운 선생님으로 소문이 나있다. 한 사람만 잘못해도 단체로 기합을 준다. 선생님 미술수업은 독특하고 무섭다. 미술시간은 일주일에 한번이다. 이론교육은 없다. 있어도 5분 내에 끝이다. 스케치북과 스케치연필, 그리고 그림물감 준비는 필수다. 가끔 의무적으로 그림 소재인 과일 하나씩을 준비해 오라 한다. 만일 하나라도 준비가 안 돼 있으면, 교실을 나가 복도에서 수업이 끝날 때까지 무릎을 꿇고 손들고 있어야 한다. 처음에는 설마하며 그 말은 무시했다가, 반 인원 절반이 복도에 나간적도 있다. 그 이후 누구도 선생님 말을 거역할 수 없었다. 교탁위에 물병이나 과일, 꽃을 올려놓고 무조건 그리게 한다. 점수는 매시간 수업이 끝나기 직전에 평가된다. 수업이 끝날 때 쯤 돌아다니며 학생들이 그리고 있는 그림에 점수를 주는데, 그 방법이 독특하다. 스케치북 오른쪽 하단모퉁이에 만년필로 선생님 싸인을 한다. 선생님 성을 영문자 필기체로 쓰는 거다. 선생님은 성이 이 씨다. 'Lee'의 마지막 영문자 'e'의 꼬리가 길면 길수록 높은 점수다. 시험기간에는 스케치북을 제출하게 한다. 그 동안 싸인 받은 꼬리의 길이 합산으로 성적이 평가된다. 이론시험은 누구나 알 수 있는 쉬운 문제다. 실기를 중시하는 선생님이다. 덕분에 내 미술성적은 미술학원을 다니는 학생을 제외하고는 최고였다. 다들 담임이 무섭다고 했는데, 나는 특별히 혼난 기억은 없다. 훗날 알았지만 담임선생님은 돈키호테 같은 기질의 유명한 화가였다.

모든 학생들이 무섭게만 생각했던 선생님을 다시 판단 할 수 있는 계기가 있었다. 현 시대적 관점에서는 불가능한 얘기다. 담임은 주말에 학생들을 10명 단위로 집으로 초대해서 음식을 대접했다. 나도 초대 받아 다녀 온 적이 있다. 집은 조선시대 양반들이 살던 시내중심가 한옥마을이었다. 사모님이 친절하고 음식솜씨도 좋았다. 명절 때나 먹을 수 있는 음식들이다. 식사를 마치고 나면 마당에 윷놀이판을 두 군데 마련한다. 선생님도 동참해서 시간가는 줄 모르고 즐긴다. 진 팀은 이긴 팀이 시키는 걸 무조건 해야 한다. 덕분에 선생님이 댄스음악에 맞춰 즐겁게 춤을 추는 걸 보게 된다. 무서운 선생님이라는 선입견이 사라지는 시간이었다.

담임은 야구를 잘하고 좋아했다. 체육선생님인 야구부감독과도 친구사이다. 선생님은 소프트볼경기를 제안했다. 아마 매년 그렇게 했던 것 같다. 분단별로 10명이 한 팀이고, 총 6개 팀이다. 토너먼트 방식이고 준결승에서 한 팀은 부전승이 된다. 경기에 참여하고 싶은 선생님은 심판을 보면서, 지고 있는 팀에 대타로 나설 수 있다고 했다. 경기는 방과 후나 체육시간에 체육선생님 협조를 받아서 했다. 나는 우승하고 싶어 투수를 자청했다. 우승상품은 모두 미술도구다. 소프트볼은 야구와 투구방법이 다르지만, 그래도 경력은 무시 할 수 없다. 경기는 엉망진창이다. 규칙도 모르고, 소프트

볼을 처음해보는 친구들이 많다. 3경기를 이기고 쉽게 우승했다. 나는 전 타석 출루라는 대기록을 세우고, 우승과 함께 최우수선수상을 받았다. 우승팀은 스케치북 한권씩을 받았고, 최우수선수상으로 그림물감 한 세트를 받았다. 선생님사비로 상품을 구입했다고 한다. 지금 생각해 보면 대단한 스승님이란 생각이 든다.

대회가 끝나고 담임은 내가 야구경력이 있었다는 걸 알았다. 야구부감독에게 말해 테스트를 받게 했다. 그렇게 해서 야구부에 들어갔다. 야구부원들은 모두 특기생으로 입학했다. 전국에서 최고 실력 있는 선수들로 구성된 야구부다. 친구들 수준을 따라갈 수 없었다. 이들은 이미 엘리트체육인 소리를 듣는 전문야구선수다. 그래서 공식훈련에는 참가도 못하고, 선배들 심부름만하다 3개월 만에 그만두었다. 지금도 내가 테스트에 합격한 건 실력이 아니고. 야구감독이 친구인 담임선생님 부탁을 거절 할 수 없어, 어쩔 수 없이 나를 받아준 거라 생각하고 있다. 나무는 고요한데 바람이 계속 흔들어 놓는다. 당시에 흔치 않던 스포츠인 연식정구감독에게 또 발탁이 되었다. 감독님은 우리 반 한문수업을 담당하는 선생님이다. 내가 야구부에서 탈퇴했다는 걸 알고 있었다. 선생님들 중에 제일 연장자고, 교장선생님과 친구사이라고 소문이 나있다. 연식정구부를 창설한 분이라고 한다. 과거에는 테니스를 정구라고 했다. 연식정구는 테니스와 룰이 유사하나, 고무재질로 된 말랑말랑한 공을 사용한다. 1년간 선수생활을 했다. 대회에서 복식으로 동메달을 따기도 했다. 그 날은 잘해서가 아니라 운이 좋아서다. 참가한 팀이 5개 뿐이었다. 당시 운동선수는 오전수업만 참여하고, 오후에는 운동을 해야 하기에 공부를 할 수 없었다. 그 동안 내 삶에 간섭이 없던 어머니는 우연히 성적표를 보고, 운동선수가 되는 걸 완강히 반대했다. 어머니는 결국 학교에 찾아와 담임을 만났다. 이렇게 해서 태권도 이외의 모든 선수생활은 마무리 된다. "운동은 하루를 짧게 하지만, 인생은 길게 한다."는 명언이 있다. 이때 다져진 기초체력은 내가 평생을 젊게 살 수 있는 원동력이 되었다.

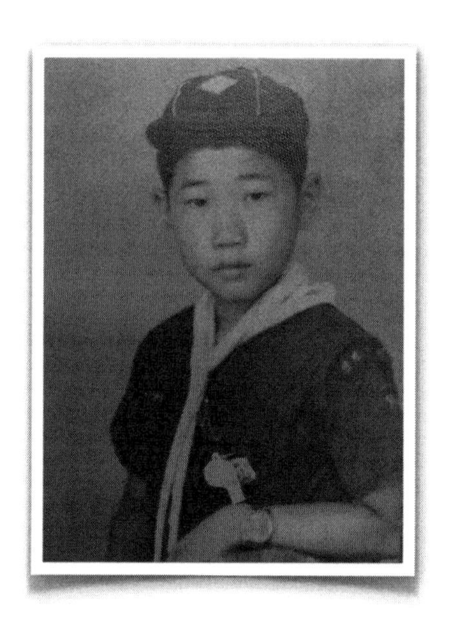

개천에서 용이 된 놈

표준말 쓰는 나를 서울 놈이라 부르는 전주 한동네 사는 친구가 묻는다. 서울 간다고? 서울은 어때? 바다는 파란색인데 한강은 무슨 색이야? 제일 높은 건물은 어디야? 친구는 나를 서울 사람으로 알고 있다. 당연히 서울에 대해 잘 알거라 생각하고 있다. "어디 가나 사람 사는 건 똑 같은 거야."라며 대답을 대신했다. 나도 서울에 가본 적이 없다. 5학년 여름방학 때 아버지 일자리 때문에 전주에서 서울로 이사를 했다. 난생처음 서울사람이 됐다. 이사한 곳은 개천이름인 모래내로 더 알려진 동네다. 개천가에는 마치 바닷가처럼 모래가 많았다. 모래내는 물이 한강으로 흐르는 넓은 개천이다. 개천가에는 판잣집이 빼곡했다. 판잣집은 목재만으로 허름하게 임시로 만들어진 집이다. 그래서 이런 동네를 판자촌이라 불렀다. 이 동네는 여름철 홍수가 나면 사라진다. 그런데 일주일만 지나면 다시 동네가 만들어 진다. 다행히 우리 집은 개천이 내려다보이는 산동네에 있었다.

당시는 우리 또래를 빽빽이 세대라고 불렀다. 중학교는 시험 없이 추첨을 통해 입학했기 때문이다. 누구나 명문학교가 많이 모여있는 서울 중심지역인 공동학군에 가기를 원했다. 그래서 '위장전입'이라는 사회적 문제가 발생한다. 이런 이유로 5학년 2학기가 부터는 전학이 되지 않았다. 나는 야구특기생으로 전학을 하면 된다고 생각했다. 그런데 주변에 야구부가 있는 초등학교가 없었다. 학교를 다니지 않고 쉬고 있을 때다. 동네 형이 가까운 곳에 입학 가능한 학교가 있는 걸 알려주었다. 나는 어머니께 그 사실을 말하고 함께 학교를 찾아 입학했다. 같은 시대를 함께 살았어도 모르는 사람이 많다. 과거에는 초등학교를 국민학교라 했다. 그런데 내가 입학한 학교는 '공민학교'다. 불우한 청소년교육을 위해 외국인선교사가 설립했다. 초등학교과정을 '공민학교'라 한다. 그리고 중, 고등학교과정은 '고등공민학교'라 불렀다. 현재 대안학교와 비슷한 체계다. 학교는 학년별 한개 반으로 6학년 까지 있다. 나는 5학년 2학기 때 전학했지만 행정상으로는 3학년이다. 학교규정은 1, 2학년을 1학년, 3, 4학년을 2학년, 5, 6학년을 3학년으로 구분한다. 그로 인해 깜짝 기록이 하나있다. 나는 초등학교 6년 동안 3학년으로 기록된 우등상만 두 장 있다. 초등학교 3학 때 받은 것과, 공민학교졸업식 때 받은 우등상이다. 공민학교는 졸업을 해도 검정고시를 통과하지 못하면 학력을 인정받지 못한다. 이것도 찾기 힘든 기록 중 하나다. 나는 6년 동안 5개 초등학교를 다녔다. 그런데도 학력을 인정받지 못해 검정고시를 합격해야만 했다.

잊지 못할 추억이라 기억을 더듬어 본다. 나와 같이 정상적인 나이로 학교에 들어간 학생은 30% 정도다. 평균 나이는 나보다 2~4세 많고 남, 여 공학이다. 대부분 신문팔이, 구두닦이, 일부는 소매치기조직에 있었던 친구도 있고, 소년원출신도 있다. 일반 초등학교와 다른 점은 태권도, 한문, 주산이 정규과목에 포함 된다. 그래서 태권도를 잘 했던 나는 빠른 시간에 친구들과 친해졌다. 재단이사장과 외국인들 방문행사에서 태권도시범에도 참여했다. 5학년 때 담임선생님은 공인 6단으로 태권도계의 유명인사다. 선생님영향으로 태권도가 정식과목이 됐다고 한다. 그리고 그의 친동생은 4단으로 태권도수업만 담당했다. 야간에는 학교에서 동내청소년들을 대상으로 태권도를 가르쳤다. 덕분에 중학교에 진학해서도 계속 태권도를 할 수 있었다. 6학년이 되면 학생들은 수업시간외에 학교업무에 투입된다. 점심 때 전교생에게 우유와 옥수수빵을 제공한다. 대부분 빵공장에서 일한다. 그리고 교무실청소, 난로관리와 조개탄운반도 학생이 한다. 나를 포함한 학교임원들은 등사실에서 일했다. 학습자료, 가정통신문, 시험지인쇄 업무를 담당했다. 놀이문화도 어른스럽다. 5학년 말에 학교주변 미니당구장에서 당구를 배웠다. 당시 고등학생들과 실력을 겨룰 정도였다. 그리고 다양한 재주를 가진 친구들이 많다. 기타, 바둑, 장기, 화투와 같은 모든 잡기를 그 때 배웠다. 초등학생답지 않게 돈도 번다. 하루는 수업이 끝나고 석간신문을 돌리는 친구를 따라가 함께 일했다. 조간신문은 새벽에 발행되는 신문이고, 석간신문은 오후에 발행되는 신문이다. 나도 해보고 싶었다. 한 달 동안 100가구에 신문을 매일 돌렸다. 담당하는 동네가 산비탈이라 자전거와 같은 교통수단도 불가능했다. 1,800원의 월급을 받아 어머니께 드렸다. 어머니는 이런 돈 필요 없으니 그만하라고 했다.

6학년 때다. 방학 때 친하게 지냈던 친구의 아버지가 사망했다는 소식을 들었다. 내게 신문 돌리는 일을 가르쳐준 4살 많은 친구다. 학교회장과 부회장이 우리 집에 찾아왔다. 신문을 팔아 돈이 모이면 친구에게 전해주자고 제안을 했다. 회장은 자신이 신문을 팔아 본 경험이 있다고 했다. 규율 부장이던 나는 의무적으로 참가해야 했다. 친했던 친구들 10명 정도가 동참했다. 회장은 나 보다 4살 위로 연장자중 한명이다. 체격은 크지 않지만 준수한 외모에 사연이 있어 보이는 친구다. 검정고시를 합격하고 중학교에 입학했지만, 나이 차이를 극복하지 못하고 중퇴했다. 이후 구두제조 기술을 배워 구두공장사장이 됐다. 학교에서 부회장은 남자부회장과 여자부회장이 있다. 남자부회장인 친구는 회장보다 한살 아래로 둘은 사촌형제지간이다. 체격이 우람하고 남자다운 성격에 축구를 잘했던 친구다. 그 친구도 중학교에 진학을 했으나 역시 중퇴했다. 나중에 이름이 알려진 건달이 된다. 학교에서는 이렇게 셋을 삼총사라 불렀다. 졸업 후에도 우정을 유지하며 친하게 지냈다. 새벽 첫차를 타고 광화문에 모여 회장지시대로 움직였다. 광화문에 가면 각 신문이 가판에 쌓여 있다. 신문을 파는 또래 친구들이 무리지어 있다. 전문적으로 판매하는 친구들은 단골이 있어 하루에 200부 이상 팔 수 있다고 한다. 초보자인 우리는 모두 100부씩만 받았다. 시장논리로 도매상에서 물건을 구매해, 소매로 방문판매하는 시스템이다. 신문한부에 10원씩 구입한다. 길거리나 다방, 식당, 사무실을 방문해 처음에는 30원에 판매한다. 시간이 지나면 20원, 마지막에는 원가에 판매한다. 나는 100부를 파는데 4시간 걸렸다. 우리는 모은 돈을 갖고 친구 집을 방문해 어머니께 전달했다. 어머니는 청각장애인이다. 그 당시 학교에 내는 학비가 3개월에 1,800원이다. 도움을 받은 친구는 그것도 못 내는 처지였다. 5,000원을 모았으니 도움이 됐을 거라 생각된다. 몸집이 커서 곰이란 별명으로 불린 친구를 먼 훗날 우연히 탄 택시에서 만났다. 택시기사가 되어있었다. 나는 신문팔이를 하루만 하고 끝냈지만 몇몇 친구는 방학동안 계속해서 돈을 벌었다고 한다.

이렇게 시간가는 줄 모르고 학교생활에 열중했다. 6학년 2학기가 시작되면서 검정고시준비를 해야 한다. 방과 후에 문제풀이 보충수업을 했다. 어느 정도 시간이 지나니 모르는 문제가 없었다. 60명 중 몇 명이 응시했는지는 모른다. 나를 포함 5명이 합격했다. 졸업을 하면 5명만 중학교에 진학 할 수 있다. 그러기에 나는 학력이 없는 친구들이 많다. 나의 이런 성장배경이 대인관계에서 나이, 학력, 직업에 어떤 차별도 두지 않은 이유다. 직장동료들에게 어릴 적 경험을 말 한 적이 있다. 나를 신기하게 바라보며 많은 질문을 한다. "당연한 경험이었는데, 다른 사람에게는 왜 특별해 보인지?"라는 생각을 했다. 그래서 그 후로 대답하기 귀찮아 더 이상 말한 적이 없다. 노력의 결과 졸업식 때 회장이 대표로 졸업장을 받고, 내가 우등상을 받았다. 우등상대상자는 검정고시합격자 5명이다. 졸업식에 어머니가 참석했다. 재단이사장, 교장, 담임과 함께 찍은 사진이 아직도 남아있다. 그리고 검정고시합격자는 재단으로 부터 중학교입학금과 1년간 등록금을 받았다. 효도했다는 자부심이 생겼다. 또 하나의 혜택도 있었다. 우리 동네는 변두리로 지칭되는 8학군이다. 어떤 이유인지 모르겠으나, 나는 공동학군에 배정됐다. 당시 최고 명문학교 중 하나로 불리던 중학교에 입학하게 된다. 사춘기도 없이 애어른처럼 살았던 기억이 새록새록하다. 이런 성장배경이 행운인지, 불행인지는 판단 할 수는 없다. 그렇지만 나는 '개천에서 용이 되는' 신화의 주인공이 될 수 있을 거라 믿었다.

벗기 힘든 마음 속 군복

은퇴 후에는 생활의 안정을 찾고 사회에 봉사하는 삶을 기대했다. 그러나 실현 불가능한 목표였다. 그렇게 살기엔 44세 너무 젊은 나이다. 은퇴는 '이제 다시'라는 욕망의 시작이다. 재도전을 위한 자발적 조기은퇴는 더욱 그랬다. "은퇴란 시간이 생기면 하려고 했던 일들을 전혀 하지 않은 시기다."라는 말이 있다. 나 역시 은퇴 후에 하고 싶었던 일들이 많았다. 먼저 떨어져 지냈던 가족들과 여행을 하고 싶었다. 그리고 취미활동을 통해 새로운 친구들을 사귀며 사회생활을 배우고자 했다. 그러나 이제는 할 수가 없다. 자의 반 타의반으로 싱글라이프가 됐다. 모든 사사로운 꿈은 접었다. 결국 자유로운 시간이 생겼지만 아무것도 하지 못했다. 이제 한가한 생각을 할 시간이 없다. 새 출발을 선언하고 미래를 계획할 공간이 필요했다. 동생이 형 혼자 살려면 도움을 받아야 한다며, 자신의 집 근처 오피스텔을 추천했다. 그런데 잠만 자는 공간보다 사무실이 필요했다. 임대한 오피스텔침대를 없애고, 책상과 소파를 배치해 사무실처럼 인테리어를 했다. 복층구조라 공간분리가 가능했다. 역시 환경이 사람의 행동을 바꾼다. 지금까지 대부분의 시간을 침대 위에서 보냈다. 그런데 책상에 앉아 컴퓨터를 마주하니 할 일이 많아진다. 나를 만나고자 연락 오는 지인들과 미팅장소로도 적합했다. 지금도 은퇴하는 친구들에게 출근할 사무실부터 준비하라는 조언을 한다. 단순하지만 발상이지만 성공을 위한 첫 걸음이다.

몇 가지 이유로 군인들이 은퇴를 하면 장수하지 못한다는 낭설이 있다. 첫째, 사회에 나오면 조직문화차이를 극복하지 못한다. 둘째, 강해야만 했던 군인의 전투력을 억눌러야 한다. 셋째, 명령에 일사불란하게 움직이던 부하들의 지원이 없다. 넷째, 가정에서 무시당한다. 이러한 스트레스요인들을 극복하지 못해서라고 한다. 은퇴했다는 소문이 나면서 만나자고 연락 오는 지인들이 많다. 대부분 사업계획서를 보여주며 사업제안을 한다. 직책을 주고 영입하고자 하는 사람들도 있다. 이러한 행동들은 모든 은퇴자들이 겪는 일이다. 퇴직금을 받았기에 목돈이 있을 거라 생각하고 투자를 받기 위해서다. 조직에서 경험한 지식과 정보 그리고 전관예우에 대한 기대다. 모든 감언이설이 난무한다. 정상적인 사업가는 이런 방법으로 투자를 받거나, 사람을 영입하지 않는다. 다행히 경영학을 전공해 이런 유혹에 흔들릴 정도는 아니었다.

은퇴는 곧, 또 다른 시작을 의미한다. 대한민국남자는 대부분 군대생활을 경험했다. 군인이 되기 위해 기본군사훈련, 화생방체험, 실탄사격 등의 과정을 수료해야 현역군인이 될 수 있다. 이처럼 은퇴자들이 사회생활에 동참하기 위해서는 반드시 준비기간과 훈련이 필요하다. 나는 은퇴 후 평범한 길을 거부했다. 개울을 건너려면 디딤돌을 먼저 놓고 한발씩 두들기며 건너야 한다. 나는 자만심에 한 번에 뛰어 넘으려 했다. 그러다 개울물에 빠져 허우적대다 더 늦어졌다. 은퇴자나 예정자는 충분한 준비시간이 필요하다. 투자가 필요한 사업보다 시간과 노동력만 있으면 되는 재취업을 추천한다. 은퇴 후 재취업이 필요한 이유를 전공자로서 제시해 본다. 첫째, 은퇴 후 사업 실패는 인생의 실패와 직결되므로 리스크를 최소화해야 한다. 재산을 지키는 것은 곧 가족을 지키는 거다. 둘째, 그 동안의 생활비를 유지하고 추가수입을 얻기 위해, 오래일할 수 있는 직업을 선택한다. 노후에도 삶의 질을 유지하기 위해, 가장 필요한 건 현금자산이다. 셋째, 새로운 인간관계형성과 활동력을 유지해야 한다. 새 술은 새 부대에 담아야 하듯, 건강을 유지하며 새로운 친구를 만들어야 한다. 넷째, 새로운 기술습득이나 자기계발을 위해 공부와 경험을 해야 한다. 투자 사업이나 자영업을 원하는 사람에게 반드시 필요하다. 나는 전역 후 세 가지의 목표를 세웠다. 이러한 기초지식을 알면서도 재취업은 고려대상에 넣지 않았다. 돌이켜 보면, 알면서 안한 것이 더 큰 실수였다. 먼저 연구소를 설립해 경영컨설팅과 강의지원을 원했다. 만일 기회가 되면 정치에도 입문하고 싶었다. 그리고 안정이 되면 회사를 설립해, 기업경영에 직접 참여하고자 했다.

이렇게 여유로운 시간을 보내던 중 주민자치프로그램 강사모집 공고를 봤다. 단전호흡도 프로그램 중에 있었다. 재능을 나누자는 제안이다. 지역사회에 봉사하고 싶은 마음이 있었는데 좋은 기회인 것 같다. 주민자치센터를 찾아 강사지원을 하고 싶다고 했다. 기본서류와 이력서, 자격증을 준비해서 제출해 달라고 한다. 다음날 모든 서류를 준비해서 제출했다. 그리고 사관학교학술지에 기고했던, 단전호흡연구물사본을 첨부했다. 연구물은 사관생도에게 단전호흡특강을 했을 때 작성했던 교안이다. 한때는 단전호흡이 정규과목에 편성되어 운영된 적이 있다. 그 후 축소돼 소양교육의 일환으로 지원자만 수련했다. 일주일 후 강사직을 수락한다는 연락이 왔다. 이렇게 해서 단전호흡재능기부가 시작되었다. 수강료책정이 가능하다했지만, 나는 무료로 결정했다. 강의실은 40명을 충분히 수용할 정도로 넓었다. 처음에는 10명으로 시작했다. 한 달 정도 지나자 30명 이상으로 인원이 늘었다. 단전호흡수업은 이론과 실습을 병행했다. 이렇게 해서 약속된 1년이 되었다. 수업은 일주일에 한 번이라, 그리 힘들지는 않았다. 수강생 중 기억나는 한 사람이 있다. 늘 맨 앞자리에 앉는 40세 정도의 여성이다. 몸이 많이 수척해 보였다. 강의에 한 번의 결석도 없이 참석했다. 실습 때는 집중력이 좋아 기운을 움직이는 체험을 가장 많이 한 것 같다. 그 수강생소개로 많은 동네사람들이 참석한 것으로 알고 있다. 강의가 끝나는 날 선물을 받았다. 건강이 좋아졌고, 단전호흡이 생활화 가 됐다고 한다. 감사하다며 예쁘게 포장된 선물을 내민다. 가죽지 갑이었다. 그런데 만 원권 5장이 들어 있다. 마침 한 동네에 살던 동생에게 안부전화가 왔다. "현금이 든 지갑을 선물 받았는데, 돈은 돌려 줘야하는 것 아니냐?" "형은 어지간히 선물 안 해 봤네요." "지갑선물 할 때는 돈을 함께 넣어 주어야 복 받는 다고요." 새로운 문화를 배우고 보람도 있었다. 짧은 기간이었지만 기억이 새롭다. 군 시절 결연을 맺은 인근대학에서 강의를 한 적이 있다. 야간에 학부와 경영대학원생을 대상으로 강의를 했다. 강의를 마치고 내 실력이 많이 부족하다는 자책을 했다. 그래서 한 한기만 하고 그만 두었다. 그때 보다 성취감이 더 있었다. 교육의 성과를 말 할 때 "가르치는 사람이 제일 많이 배운다."는 말이 있다. 내 수준이 한 단계 높아진 느낌이다.

처음 강의가 확정되고 동장님께 인사를 갔었다. 체구는 작지만 여장부같이 목소리에 자신감이 넘친다. "재능 기부하러 왔습니다." 라며 무뚝뚝하게 인사하는 내 모습을 보고 웃는다. "아직도 군인이네요." "군복을 벗으면 마음 속 군복도 함께 벗어야지요."라고 하며 한마디 덧붙인다. "강사님이 그렇게 표정이 굳어 있으면 수강생들이 긴장합니다." 머리를 한대 맞은 것 같은 충격적인 충고다. "잊지 않겠습니다." 동장님의 충고는 내 삶에 귀중한 교훈이 되었다. 강의 막바지쯤 신문사에서 취재를 왔다. 동장님이 나를 추천했다고 한다. 아마 내 특이한 이력 때문일 거라 생각된다. '재능을 나누는 사람들'이라는 제목의 기획취재라고 했다. 기자는 강의실에서 실습 장면을 촬영했다. 그리고 개별인터뷰를 진행했다. 이때도 기자에게 같은 지적을 받았다. 사진 찍을 때 미소를 지어보라 한다. 자연스럽게 웃는 모습이 연출될 때 까지 20회 이상 '찰칵' 소리를 들은 것 같다. 사람을 볼 때, 가장 보기 좋은 표정은 미소 짓는 얼굴임을 알고는 있다. 그런데 평생의 사진첩을 봐도 내 웃는 모습사진을 찾아보기 어렵다. 소소한 선행으로 신문지면에 소개되는 영광도 누렸다. 그렇지만 미소를 통해 내 삶을 좀 더 아름답게 만들어야겠다는 각오가 더 큰 성과였다.

우정이라 불리는 운명적 인연

꽃은 아름답지만 꽃이 피어가는 과정을 보는 건 어렵다. 너무 느리기 때문이다. 친구를 만나고 우정이라는 꽃을 피우는 것 역시 오랜 세월이 걸린다. 남자들 세계에서는 사랑도 중요하지만 우정 또한 가슴을 뭉클하게 하는 요소다. 성공은 친구를 만들고 역경은 친구를 시험한다고 한다. 그러나 고난과 역경을 함께 하는 친구도 분명히 존재한다. 친구는 제 2의 자산이다. 경영학적으로 잘 맺어진 인맥도 중요한 자산이라는 뜻이다. 그래서 나는 은퇴를 하면서 제일 먼저 찾은 사람은 오래 된 친구들이다. 군인은 직업특성상 사회친구들을 자주 만날 수가 없었기 때문이다. 나는 은퇴 후에 할 일을 정할 때 몇 가지 원칙을 세웠다. 군과 관련된 직업에 재취업하지 않는다. 월급 받는 일을 하지 않겠다. 내 능력을 활용해 많은 사람들이 혜택을 받을 수 있게 하겠다. 지금 생각하면 근거 없는 자신감이었다. 그러나 아직도 내 재능으로 세상에 힘이 되고 싶은 꿈을 꾸고 있다. 대부분 직장에서 절정의 실무능력과 최고의 대우를 받을 때 자발적 조기은퇴를 결정한다. 그 이유는 박수칠 때 떠나자는 마음에서 시작된다. 그러나 현실은 모든 것이 익숙했던 전 직업과는 전혀 다른 환경이다. 그래서 갈등이 있고 실패가 있다. 오랜만에 숙소로 동생과 그의 친구가 방문했다. 둘은 초등학교동창으로 한 가족처럼 지내는 친한 관계다. 그동안 노력했던 사업실패로 새로운 일거리를 찾고 있다고 한다. 대학 때 운동권에 있던 친구들이라, 조직생활에 적응하지 못하는 자유로운 영혼들이다. 그래서 거듭 실패를 하면서도 개인 사업을 고수하고 있다. 일할 공간을 만들어 달라고 했다. 내가 계획하는 일을 돕겠다고 한다. 나는 연구소설립을 계획하고 있지만, 그것으로 수입을 얻는 것은 어렵다. 그래도 연구소부터 만들고자 했던 이유가 있다. 사회생활에 필요한 공식적인 직함이 필요했기 때문이다. 그리고 사업 준비를 위해 사무실이 필요한 친구들의 플랫폼역할을 하기 위해서다. 그런데 현재 살고 있는 오피스텔은 공간이 부족해 계획을 진행 할 수 없었다. 이제 때가 됐다고 생각하고, 친구에게 사무실이 필요하다는 부탁을 했다. 친구는 오래전부터 내 스폰서 역할을 자청했다. 정치인이 돼서 자신의 꿈을 대신 실현해 달라고 부추기는 친구다. 내가 무엇을 부탁하든 들어준다. 며칠 후에 전화가 왔다. 10년 전에 친구로부터 소개받은 사업가형님이다. 자주 만나지 못하는 사이지만 서로 존중하며 좋은 관계를 유지해 왔다. 사무실이 필요하냐고 물었다. 분명히 친구가 사무실이 필요하다고 했을 거다. 자신이 사무실로 사용하던 50평형 오피스텔을 갖고 있다고 했다. 매각하려고 비워두었으니 언제까지라도 사용하라고 했다. 모든 사무용가구가 비치되어 있고 몸만 들어가면 된다고 한다. 바로 동생들과 함께 사무실을 접수하고 연구소간판을 걸었다. 계획했던 대로 경영연구소로 사업자를 내고, 동생들은 건강기능식품유통 사업을 준비했다. 동생들을 위해 사무실을 만들어 주었으니, 형으로서 역할은 했다는 자부심이 생겼다. 동생은 내가 약속이 있을 때 운전도 해주고 직원역할을 했다. 이렇게 상부상조하며 즐겁게 일을 하고 있었다. 어느 날 친구에게 전화가 왔다. 친구는 공무원으로 25년간 근무하고 나와 비슷한 시기에 은퇴했다. 창업 준비를 끝내고 사무실개업식을 한다고 했다. 나는 이미 알고 있었다. 사무실인테리어를 하는 중에 방문한 적이 있다. 친구는 50년 넘게 우정을 나눈 죽마고우다. 개업식에 꼭 참석해 달라고 말하며 사업을 도와달라고 했다. 친구는 연구소 1호 고객이 된다.

누구나 그렇듯 내게도 많은 친구가 있다. 그중 한 사람을 선택하라면 오랜 세월 우정을 나누었던 가족 같은 친구다. 나는 최선을 다하고 하늘의 뜻을 기다리는 운명론자다. 일이나 인간관계에서 운명적 끌림에 우선적으로 반응하는 편이다. 50년 이상 한 친구와 우정을 이어나간 나는 운명론을 말할 자격이 있다고 생각한다. 우정도 사랑처럼 하늘의 뜻에 거역할 수 없는 운명적 인연이 있다. 이것은 세속적 조건을 계산하지 않는 무조건적 관계다. 만일 인간관계에서 조건이나 환경에 의해 만남과 배신이 반복 된다면, 그것은 스쳐 지나가는 수많은 시절 인연 중의 하나일 뿐이다. 붉은 실로 엮인 운명적인연과의 만남은 반드시 한 번의 기회가 있다고 한다. 이러한 인연은 서로가 직감적으로 알 수 있고, 인간의 힘으로 끊어 낼 수 없는 신의 영역이라고 한다.

서울에 처음 이사 왔던 초등학교 5학년 때 옆집에 살던 친구가 있었다. 늘 마당에 혼자 쪼그려 앉아 땅에 무언가를 그리고 있다. 가끔 어머니로 보이는 여인과 어린 세 명의 동생이 들락거리지만 친구에게 신경 쓰는 사람은 없다. 아직 말도 한번 걸어 본적이 없는데 자꾸 눈길이 갔다. 유난히 쓸쓸해 보이는 모습에 내가 보호를 해줘야 할 것 같은 연민을 느꼈다. 당시 1학년이던 내 동생보다 키가 작아 처음에는 친구라는 생각을 못했다. 어려서 척추를 다쳐 정상적으로 키가 클 수 없었다고 한다. 친구는 자신보다 어려운 이웃을 아낌없이 도울 수 있는 작은 거인이다. 늘 붙어 다니는 우리를 보고 주변에서 "어떻게 둘이 친구가 될 수 있냐?" "전생에 부부였냐?" 묻는 사람도 있었다. 나는 이런 말에 관심을 기울일 필요조차 없을 만큼 조건 없는 우정이었다. 어느 날 학교에서 돌아오니 친구가 우리 집에서 밥을 먹고 있다. 어머니가 평소와 달리 흥분하며, 친구어머니에 대해 욕설을 한다. 당시에는 사연을 몰랐지만 친구어머니는 친모가 아니었다. 너무 심하게 친구를 학대하는 걸 어머니가 본 것이다. 나도 가끔 이해 못 할 정도의 욕설과 구타를 하는 걸 목격했다. 불의를 보면 못 참는 어머니는 결국 친구 모친과 싸우고, "내가 키우겠다."며 집으로 데리고 왔다고 한다.

이때부터 친구와 운명적인연이 시작된다. 그 후로 친구는 우리 집에 함께 사는 것처럼 행동했다. 내가 집에 없을 때도 마치 자신의 집 마냥 편해보였다. 부모님은 무뚝뚝한 나 보다 붙임성이 좋은 친구와 더 소통을 잘 했다. 친구와 나는 다른 초등학교를 다녔다. 그런데 어느 날 수업을 마치고 교문을 나오니 친구가 기다리고 있다. 친구 학교는 걸어서 한 시간 거리다. 오늘도 학교에 안 간 것 같다. 학교에 가는 날 보다 결석하는 날이 더 많다는 걸 알고 있었다. 우리 학교는 점심시간에 교내 빵공장에서 만든 네모난 도시락모양의 옥수수빵과 우유를 나눠 준다. 나는 도시락을 가지고 다녔지만 당시에는 도시락을 못 싸올 정도로 형편이 어려운 친구들이 많았다. 오늘은 우유만 마시고, 빵은 책가방에 넣어두었다. 왜 그랬는지 모르겠으나 본능적으로 가방에 있는 빵을 꺼내 친구에게 먹으라고 주었다. 친구는 고맙다는 말도 없이 허겁지겁 먹었다. 그 후로 매일 학교 앞에서 만나 빵을 먹고, 함께 내 친구들과 어울려 놀았다. 때로는 나도 빵이 먹고 싶을 때가 있었지만, 친구가 좋아하니 그럴 수 없었다. 먼 훗날 친구는 가장 기억에 남는 음식을 말할 때 옥수수빵을 꼽았다. 중학교 때 부터 역마살이 있던 친구는 집을 나갔다가 한 달 만에 돌아오는 일이 반복되었다. 집을 나가 있는 동안 구두닦이, 술집 안내, 웨이터 보조로 일을 하며 돈을 벌었다고 한다. 말을 안 해도 그 작은 체구에 얼마나 많은 어려움이 있었는지 알 수 있다. 중학교 3학년 때 일이다. 하루는 학교에서 돌아오는 길에 버스에서 내렸다. 이미 해가지고 어둠이 밀려오는 시간이다. 정류장에서 내리면 멀리 보이는 큰 다리가 있다. 집에 가려면 그 다리를 건너기 전에 오른쪽으로 돌아 동네 입구로 들어가야 한다. 평소에는 아무도 건너지 않는 다리 위를 바라보지 않는다. 그런데 나도 모르는 사이에 다리 위를 쳐다보게 된다. 멀리 시커먼 작은 물체가 쓰러져 있는 것이 보인다. 나는 본능적으로 뛰어 갔다. 50미터쯤 되는 거리다. 친구가 배를 움켜잡고 새우처럼 누워있다. 정신을 잃은 것처럼 아무 미동도 없다. 나는 친구이름을 부르며 정신 차리게 얼굴을 손바닥으로 때렸다. 순간 깨었는지 고통스러워한다. 나는 얼른 등에 업고 병원을 향해 뛰었다. 다행히 다리가 끝나는 지점 오른 쪽 길모퉁이에 병원이 있다. 무조건 응급실로 들어갔다. 급성위계양인데 창자가 꼬여 참기 힘든 고통을 수반한다고 했다. 큰 사고가 아니라 다행이었지만, 기구한 운명이란 생각도 들었다. "어떻게 그 시간에 내 눈에 띄었을까?" "만일 내가 발견하지 못했다면 친구는 어떻게 됐을까?" 여러 가지 생각이 머리를 맴돌았다. 그 후로 친구는 가끔 내게 생명의 은인이란 말도 한다.

어린 시절 가족의 부재는 큰 불행이다. 너무 많은 고생을 한 친구라 우정보다 연민을 느꼈고 도와주고 싶은 친구였다. 그러기에 나는 친 동생보다 더 애착을 갖고 친구의 삶에 깊이 관여했다. 가정

환경이 얼마나 중요한 것인가를 친구를 통해 깨달았다. 우리 집은 가난했지만 모든 것을 갖춘 안정된 가족이다. 할아버지, 할머니, 아버지, 어머니, 삼촌, 고모 그리고 동생들, 그래서 화목하고 행복했다. 친구는 이러한 행복을 누리지 못하고 길거리를 떠돌았다. 오랜만에 집에 가면 냉대와 멸시에 다시 집을 나가, 객지에서 잠드는 과정을 반복했을 거다. 친구는 우리 집에 머물면서 점차적으로 안정을 찾았다. 집을 나가는 횟수도 줄었고, 학교에 등교도 했다. 함께 교회에 가서 친구들도 소개받아 외로움이 없었다. 교회에 가면 재미있는 말솜씨와 행동으로, 말이 없던 나 보다 여학생들에게 인기가 많았다. 나는 모태신앙이라는 말을 듣는다. 당연히 기억에 없지만 유아세례를 받았다고 한다. 그러나 신앙심 좋은 성실한 교인은 아니다. 지금도 종교가 무엇이냐고 물으면, 기독교라고 대답을 하지만 교회를 다니지는 않는다. 초등학교, 중학교 때는 어머니로 인해 반강제적으로 매주 일요일에는 교회에 가야했다. 친구도 어쩔 수 없이 함께 교회에 가야한다. 하루는 어머니가 늘 그랬듯이 우리에게 100원 동전 두 개씩을 준다. 하나는 헌금하고 다른 하나는 군것질하라고 한다. 100원이면 짜장면 한 그릇 값이다. 교회에 가려면 돌다리로 된 큰 개천을 건너야 한다. 나는 쉽게 건널 수 있지만, 키가 작았던 친구는 내가 도와주지 않으면 건너기가 힘들다. 어느 날 비가 온 후 개천물의 수위가 높았다. 친구를 업고 징검다리를 건너다 넘어져 물에 빠졌다. 그런데 친구는 손에 쥐고 있던 동전을 놓쳤다. 나는 다행히 주머니에 넣어 무사했다. 친구에게 헌금할 동전이 있으니 걱정 말라고 했다. 그래도 친구는 물속을 뒤져 결국 하나를 찾아냈다. 찾은 동전을 들고 하늘을 보며 외친다. "오, 주여! 당신 것이 빠졌나이다." "오, 천재다." "크게 될 친구다." 순간 웃으며 생각했다. 그날은 옷이 많이 젖어 교회는 못가고, 먹을 것을 장만해 가까운 산에 가서 놀았다.

이렇게 자란 친구는 고등학교 때는 누구도 무시하지 못 할 정도로 바르게 성장했다. 야간고등학교를 졸업하고 별정직공무원에 취업을 했다. 병역은 동사무소에 근무하는 보충역으로 마쳤다. 사회성이 좋았던 친구는 정규직공무원으로 특채되었다. 이후 승진을 거듭해 검찰에 파견되어 수사관으로 임무를 수행하다가 은퇴했다. 20세 때는 생모와 연락이 되어 함께 가서 첫 만남을 가졌다. 어머니는 오래전에 불교에 귀의해 보살이란 호칭으로 절 생활을 하고 있었다. 친구는 20대 중반 길거리에서 우연히 마주친 운명의 여인을 만나 결혼해서 나보다 먼저 안정된 삶을 찾았다.

나는 고등학교졸업 후 바로 사관학교에 입학하면서 부터 집을 떠나야 했다. 친구는 나를 대신해 부모님께 효도하고, 오랜 세월 우리 집안의 대소사를 챙겼다. 친구는 10년 전 불교에 귀의해 지금은 한 종단의 주지스님이다. 친구에게 기쁜 일이 있을 때는 한 발 늦게 찾고, 슬픈 일이 생겼을 때는 한 발 먼저 찾아가는 것이 진정한 우정이라 한다. 그는 부모님이 갑작스런 사고로 돌아가셨을 때, 제일 먼저 달려와 스님신분으로 모든 장례절차의 처음과 끝을 지켰다. 그래서 어머니가 다녔던 교회목사님과 내 친구 주지스님이 함께 빈소를 지키는 진풍경도 연출됐다. 아리스토텔레스의 말이다. "누구에게나 친구는 어느 누구에게도 친구가 아니다." 우정을 끝낼 수 있다면 그 우정은 실제로 존재하지 않는 것이다. 한 번의 우정은 이 세상이 다해도 끝없이 이어질 인연이기 때문이다. 나에게는 자랑할 만한 운명적인연인 소중한 친구가 한 명 있다. 이제는 친구를 부처님께 부탁해야 한다.

5부

우물 안 개구리의 깨달음

우물 안 개구리

나는 현역 때 국가와 국민을 지킨다는 사명감을 갖고 있었다. 그 임무를 성실히 수행했다고 생각했다. 그러나 한편으로 사회적 변화에 무지한 '우물 안 개구리'처럼 아무역할도 못했던 일에 미안한 마음이 있다. 먼저 5.18 광주민주화운동이다. 이 사건은 1980년 5월 18일부터 5월 28일까지 광주시민과 전남도민이 중심이 되어 조속한 민주정부수립, 신군부세력의 퇴진 및 계엄령철폐 등을 요구하며 전개한 민중항쟁이다. 당시 시민들은 신군부세력의 헌정파괴와 독재에 항거했으나, 신군부는 공수부대를 투입해 이를 폭력적으로 진압하여 수많은 시민이 희생되었다. 이후 무장한 시민군과 무장계엄군 사이에 지속적인 교전이 벌어져 다수의 희생자가 발생하였다. 그 당시 나는 사관생도였다. '콜레라'라는 전염병을 이유로 3개월간 외출, 외박이 금지되었다. 어느 누구도 사실을 말해주는 사람이 없었다. 비상계엄이 발령되었다는 걸 알고 있었지만, 지난해 10.26사태 때도 있었던 일이다. 모든 일은 시간이 지나 알게 되었지만 모르는 척 할 수밖에 없었다. 민주시민과 대학생 그리고 계엄군, 나와 동시대를 함께 살았던 젊은이들의 비극적인 결과가 가슴을 아프게 했다. 그렇다고 내가 미리 알았다 한들 무엇을 했겠는가? 내 삶은 실력이나 노력에 비해 상복이 많았다는 말을 한 적이 있다. 그런데 그 중에 아무 짓도 안하고 받은 부끄러운 상이 하나있다. 군복입고 최초로 받은 '국난극복기장'이다. 기장은 국가에서 어떤 일을 기념하기 위하여 관계있는 사람에게 주는 휘장이다. 당시는 어린마음에 마치 훈장이나 받은 것 마냥 좋아했다. 아무 것도 모르고 숨어 있었을 뿐인데, 마치 건빵봉지를 나눠주듯 보급품으로 나왔다. 그 당시 군종사자는 모두 받았다고 한다. 내가 친했던 친구가 고향이 광주다. 그러다 보니 소개받은 지인들이 모두 호남출신이다. 술자리에서 그 당시 처참했던 무용담이 나오면 할 말을 잊고 잠시 숨는다.

그리고 IMF(International Monetary Fund) 때다. IMF는 국제통화기금을 말하며, 환율과 국제수지를 감시하고, 국제금융체계를 감독하는 것을 위임받은 국제기구다. 우리나라에서는 IMF에 구제 금융을 요청한 사태를 IMF라 줄여 부르기도 한다. 1997년부터 아시아지역을 중심으로 발생했던 외환유동성위기를 통칭하는 말이다. 한국에서는 단순히 IMF 또는 외환위기 등으로 지칭하는 경우가 많지만, 세계적으로는 '1997년 아시아금융위기'라고 불린다. 이러한 아시아 금융위기 속에 무분별하게 차입으로 의존했던 한국기업의 단기부채 만료와 아시아경제에 불안감을 느낀 외국자본의 급격한 유출이 발생하면서 외환보유고가 바닥나게 된다. 이런 이유로 단기간에 기업의 파산이나 부도, 대량실직이 일어났다. 결국 우리나라는 이런 충격을 극복하기 위해 IMF에 구제 금융을 요청하게 된다. IMF는 1997년 말에 발생하여, 2001년 8월까지 약 4년간 지속됐다. 내가 장교로 군 생활을 하고 있을 때다. 이런 사태를 알고 있었지만 공감을 하지 못했다. 때가 되면 급여가 나오고, 특별히 돈을 지출 할 곳이 없기에 경제적으로 어려움이 없었다. 전 국민이 참여했던 금모으기운동에도 동참하지 못했다. 내가 어려운 이웃을 도울 수는 없었어도, 금모으기 운동에는 동참했어야 했다. 그 당시 나는 "군인이 뭐 이런데 까지 나서야 하나?"라는 어리석은 생각을 했었다. 어려운 사회적 환경이었다고 느낀 것은 친구들을 통해서다. 내가 어려서부터 가까이 지낸 사회친구들은 좋은 대학 나와서 대기업에 다니거나, 고시를 합격하고 공직자가 된 친구들이 없다. 대부분 자수성가한 자영업자나 벤처사업가다. 외환위기가 발생하기 전에 새로운 발상을 통해 부가가치를 창출하자는 국가정책이 친구들을 창업일선에 뛰어들게 했다. 그 중에는 신지식인으로 선발된 친구도 있었다. 벤처사업가나 신지식인에게는 심사를 통해 창업자금을 국가에서 충분히 지원했다. 10억까지 지원받은 친구도 있었다. 그러나 외환위기로 회사가 부도나 모든 대출금이 빚으로 남았다.

친구회사 개업식에 참석했다. 사회에서는 공무원출신의 힘이 큰 것 같다. 사회인맥이 부족한 군 출신이 경험해 보지 못하는 전관예우다. 오락기유통을 목적으로 설립했다고 한다. 게임 산업을 구분할 때 당시 유행이던 바다이야기와 같은 오락기를 '아케이드게임'이라 했다. 그리고 포커, 고스톱 같이 컴퓨터모니터에서 하는 게임을 'PC게임'이라 불렀다. 회사규모에 비해 많은 사람이 모였다. 다양한 직업군의 인사들과 게임 산업에 종사하는 사업가들이다. 벤처사업 원년멤버인 친구들은 개발자신분으로 참석했다. 그동안 어렵게 지냈던 친구들이 오락기사업으로 전환해서 이미 성공을 이뤘거나 진행 중에 있었다. 특히 경마게임을 사업화해 크게 성공한 친구는 업계에서 유명인이 돼 있었다. 이런 친구들 조언으로 창업을 결정했다고 한다. 내 생각은 달랐지만 말을 할 수는 없었다. 오락기사업은 많은 리스크가 있다. 일단 후발주자다. 현재 사행성오락으로 변질되어, 상품권교환이라는 불법화가 진행되고 있다. 오락기를 합법적으로 운영한다면 수익성이 없어 운영자들에게 판매가 어렵다. 이 사업은 빠르게 치고 빠져야 한다. 아직 오락기사업에 대한 전문성은 부족하나 경영학자의 촉으로 예측이 가능했다.

개업식이 시작되자 회사대표인 친구는 나를 먼저 부른다. 모임에 참석한 지인들은 우리 사이를 오랜 세월 지켜 본 관계다. 그러다 보니 나와 친구는 모든 지인들이 겹친다. 다만 친구는 자주 만날 수 있는 환경이고, 나는 쉽게 만날 수 없지만 관계를 잘 유지해

왔다. 친구는 내 은퇴소식을 전하고, 나를 회장직책으로 모신다고 발표했다. 한 마디로 얼굴마담역할을 해달라는 거다. 나는 친구가 이렇게 하는 뜻을 미루어 짐작할 수 있다. 당시 오락기업계에 있던 사업가는 전국적으로 건달이거나 반건달이 주류였다. 이들과 맞설 수 있는 전투력이 있어야 한다. 그리고 오락기개발과 유통에는 자금이 많이 소요된다. 그래서 지속적인 투자를 받아야 한다. 이러한 상황에서 전직검찰공무원인 친구가 직접 나서기가 어려웠을 거다. 그래서 아직 친구들에게 신뢰가 있는 내 도움이 필요하다는 뜻이다. 가족 같은 친구라 당연히 도와야 한다는 생각을 했지만, 내가 창업한 회사도 아닌데 회장이라는 직함은 어울리지 않았다. 다른 방법으로도 얼마든지 도울 수가 있다. 사실 친구가 이렇게 생각한 것을 미처 알지 못했다. 당장은 연구소 일에 충실하고 싶었다. 이후 내 힘으로 창업을 하는 것이 계획 중의 하나다. 회장 자리를 거절했다. 대신 경영고문역할을 하기로 결정했다. 연구소를 계속 유지하면서, 필요 할 때만 회사에 출근하겠다는 의미다. 유혹에 흔들리지 않고, 내 위치를 지킨 건 잘 한 일이라 생각된다. 몸에 맞는 옷을 입을 때 가장 편안함을 느낀다. 분수를 지킬 때 마음이 편해지고 앞으로 더 나갈 추진력이 생긴다.

모든 일은 순조롭게 계획대로 진행되고 있다. 회사에서도 친구는 내 조언을 잘 따라주었다. 프리랜서로 딜러역할을 하던 동료들도 이익을 회사와 나누며 협력관계가 잘 이루어졌다. 그리고 새로

개발한 제품들을 회사에 전시하고 투자를 받고자 하면, 관련자들을 연결 시켜주었다. 직업 없이 지내던 친구들도 사업에 동참시켰다. 이제는 회사에 출근하지 않아도, 나를 만나기 위해 연구소로 찾아온다. 연구소운영비는 회사에서 나오고, 사업에서 도움을 받은 친구들 후원으로 경제적 어려움은 없었다.

하루는 특별한 친구가 화분을 들고 연구소에 방문했다. 오랫동안 친하게 지내 온 친구로 치과의사다. 10년 전 사회친구들 모임에서 처음 인사를 나눈 사이다. 그날 모임의 식사비와 술값을 친구가 다 지불하는 것이다. 정작 본인은 술을 한잔도 못 마신다. 그런데도 2차 술자리까지 와서 계산을 했다. 나는 미안한 마음에 다음에는 내가 식사 대접한다는 말로 인사를 대신하고 헤어졌다. 이 후 병원근처에 가서 전화를 했다. "오늘 밥 한번 먹자."라고 내가 먼저 제안했다. 친구는 "좋지, 한국 사람은 밥을 같이 먹어야 친해지고, 식구도 되는 거니까."하며 웃는다. 그 날도 친구가 밥값을 냈다. 친구는 내가 지갑을 꺼낼 때 힘으로 밀어 붙이며 "군인이 뭔 돈이 있다고 지갑을 꺼내?"라고 한 마디 한다. 군대 간 친구가 휴가를 나오면 다른 친구들이 푸짐하게 대접하면서 하는 말이다. 한국남자들만의 특별한 문화다. "나도 군에서 통 크기로 소문난 장교야."하며 자존심도 세워 봤지만, 친구의 한결 같은 진심에 손을 들었다. 친구는 한마디 덧붙인다. "친구들을 위해 쓸 수 있는 충분한 수입이 있으니 앞으로도 이해해라." 돈이 많다고 누구나 베풀며 사는 건 아니다. 친구의 타고난 성품이라 생각하고 닮아가려 노력했다. 이렇게 해서 친구가 말한 대로 함께 가는 식구가 됐다. 그리고 내 후원자 역할을 자청했다. 그동안 많은 도움을 받았지만, 아직 은혜를 갚지 못했다.

이렇게 다음 단계를 준비하며 만족스럽게 지내고 있을 때 모교에서 연락이 왔다. 이미 연구소를 운영하는 것이 소문이 난 것 같다. 당시 공사교학처장인 친했던 동기생이다. 경영학교수를 충원하는데, 상부에서 모교출신을 추천하라는 지시가 있었다고 했다. 나를 추천하겠다고 한다. 잠시 고민을 했으나, 다시 군으로 돌아갈 계획이라면 전역도 안 했을 거다. 다음 계획도 있고 현재도 만족스럽다. 고맙지만 거절한다는 의사를 전했다. 얼마 후, 교수가 된 박사과정동문으로 부터 연락이 왔다. 지도교수가 대학총장이 됐는데, 한번 모이자고 한다. 만일 만나면 강의를 해보라는 제안이 있을 거라 생각했다. 직접 만나면 거절하기 곤란 할 것 같아, 축전을 보내는 것으로 대신했다. 전역하기 전에 지도교수께 인사를 갔었다. 시간강사로 한 과목만 맡아 달라고 해서 거절을 못하고, 한 학기 강의를 한 적이 있다. 강의를 준비할 시간도 부족하고, 이동 거리도 멀어 많이 힘들었던 기억이 있다. 나를 교수로 만들기 위해 도움을 주려는 걸 알고 있었지만, 내가 가고자 하는 길은 아니다. 한번은 국방부에 근무하는 사관학교 1년 후배가 사무실로 찾아왔다. 군 생활 중에도 어디서든 만나면 함께 식사를 해야 하는 가까운 사이다.

국방부에서 전방부대순회정신교육 프로그램을 기획하고 있는데 동참해 달라고 한다. 교육프로그램개발과 강의는 내 전문분야라 참여하고 싶은 마음이 있었다. 그러나 창업을 준비하는 시점이라 불가능했다. 은퇴 후에 누구에게나 있다는 전관예우찬스를 다 날려버렸다. 나는 돈이나 명예보다 하고 싶은 일을 하며, 자유롭게 살고 싶었다. 이제 와서 내 선택의 옳고 그름을 따지는 건 무의미하다. 지금도 같은 조건에서 선택하라면 변함이 없을 것 같다. 내 삶은 불행하게 실패가 많았지만, 다양한 경험을 덤으로 얻었다. 내가 하고 싶은 일만 선택해서 한 적도 있고, 오직 돈을 벌기 위해 치열하게 살기도 했다. 누군가 노력하는 사람보다 즐기는 사람이 성공한다는 말을 한다. 나는 이 말에 동의하지 않는다. 즐기는 자는 평생 아마추어일 뿐이다. 진정한 프로는 생사를 건 치열한 전투를 해야 한다.

생명처럼 소중한 정의와 명예

정치는 나라와 국민을 다스리는 일이다. 나는 '홍익인간'이란 말을 좋아한다. "널리 인간을 이롭게 한다."라는 단군의 건국이념이다. 이 말은 이제 학문이 아니라 상식이 되었다. 상식은 정상적인 사람이 가지고 있어야 할 일반적인 지식, 이해력, 판단력이다. 정치는 이와 같은 상식은 가진 사람이 해야 한다. 나는 시간 관리를 위해 드라마나 스포츠를 즐겨보지 않는다. 그러나 세상사는 관심이 있어 뉴스는 자주 봤다. 요즘 들어서는 뉴스를 안 본다. 정치에 대한 부정적인 견해는 매 정권마다 어느 정도 있었지만, 나이가 들어 갈수록 더 답답하고 스트레스가 쌓이기 때문이다. "임금은 임금답고, 신하는 신하다워야 한다." 앉은 자리에 맞게 행동하라는 뜻이다. "답지 못하다." 라고 생각되면 내려놓아야 한다. 그 것도 큰 용기다. 그 나라 정치인의 수준은 곧 국민의 수준이라는 말이 있다. 정치인을 선택한 건 국민이기 때문이다. 한때는 내 꿈 중에 하나가 정치였다. 나는 젊은 시절 작은 조직에서 작은 정치를 경험했다.

사관생도시절 선거를 통해 3학년 2학기 때 동기생회장에 선출됐다. 그리고 4학년 졸업 때까지 임무를 수행했다. 규정상 리더십을 발휘할 기회를 골고루 주기 위해, 학기에 한 번씩 선출했다. 그런데 나는 동기생들 요청에 의해 1년 6개월간 연임을 했다. 회장의 임무는 동기생을 대표하면서 전 생도의 학교생활 전반에 대한 교육을 담당해야 한다. 사관학교 특징 중 하나는 무감독시험이다. 정의와 명예를 존중하기 때문이다. 이 제도가 지켜지는 이유는 동기생간의 상호존중이다. 생도시절 식당에서 식사 때 마다 방송을 통해 흘러 나와 지금까지도 기억하고 있는 '사관생도 신조'가 있다. "우리는 청년 사관생도다. 불의를 보고 분개 할 줄 알며 정의와 명예를 생명으로 한다. 우리는 안일한 불의의 길보다 험난한 정의의 길을 자랑스럽게 택한다." 그리고 시험기간에는 시험감독보다 더 무서운 '명예구호'를 칠판에 적어놓는다. "우리는 우리가 행한, 행하고 있는, 행할 행위에 대해서 이성과 양심에 반함이 없는지 잠시 생각하자. 그리고 행하면 이것이 명예다." 오랜 세월이 지났어도 토씨 하나 안 틀리고 기억하는 귀한 교훈이다. 그런데 일부 출세에 눈이 먼 정치군인들이, 이런 귀중한 가르침을 잊고 사는 것에 안타까움이 있다.

어느 날 후배들에 대한 구타가 있다는 세보를 동기생으로 부터 받았다. 제보를 받으면 심각한 규정 위반은 명예위원회를 통해 상부에 보고한다. 그리고 작은 사건은 동기생회의를 소집해서 해결

한다. 생도상호간에 선배는 후배를 교육 할 수 있는 권한과 의무가 있다. 많은 방법이 있지만 구타는 금지된다. 당시에는 군에서 공공연히 구타가 만연한 시기다. 나도 많이 당했다. 이 기회에 뿌리를 뽑아야 한다고 생각했다. 구타에 연류 된 동기생 두 명을 불렀다. 평소에는 친한 친구관계다. 내 굳은 표정에 두 친구는 긴장한다. 제보를 받아 알고 있던 장소로 두 친구를 데리고 갔다. 친구들은 사실을 말하고 사과했다. 나는 바로 동기생회의를 소집했다. 그리고 그들에게 공개사과를 요구했다. 사실 졸업을 앞둔 4학년 때 이런 사건이 일어나면 난감할 때가 많다. 공식화는 할 수 없고, 재발방지가 우선이다. 그래서 생각한 것이 공개사과다. 공개사과를 요구하는 것은 더 이상 이 사건을 문제 삼지 말라는 의미다. 반성하면 용서한다는 의미도 있다. 그러나 잠재적 경쟁자인 동기생 앞에서 자존심을 버려야 하는 더 큰 벌일 수도 있다. 두 친구는 단상에 올라 공개적인 사과를 했다. 이후 문제가 발생했을 때 동기생들이 자발적으로 공개사과를 자청했다. 이 일을 계기로 구타사건이 획기적으로 줄었다. 그리고 잘못이 있으면 사과하는 문화를 만든 것은 잘한 일 같다.

군 특성상 직책과 상하관계에 대한 엄격함이 있어 특별한 지휘통솔력이 요구된다. 때로는 대외적인 활동에서 학교를 대표하는 역할을 했다. 사관학교는 각 군 간의 유대관계를 위해 재학 중에 상호방문 기회가 주어진다. 학년전체가 각 학교를 방문해서 숙식을 함께하고, 방문학교 생활규정을 지키며 며칠간 함께 생활한다. 3학년 2학기 때 육군사관학교에 방문했다. 첫날은 환영파티가 성대하게 열린다. 이때 생도를 대표하는 나는 교장님과 함께 케이크절단을 하고, 환영사에 대해 답사를 했다. 그리고 헤드테이블에 앉아, 지휘관참모들과 대화를 한다. 아직도 존경할 만한 장군으로 기억에 남아있는 사람이 있다. 당시 육사교장이다. 대학은 총장이라고 하지만 사관학교는 교장이란 명칭을 쓴다. 당시 대통령과 사관학교동기생이지만 정치에 참여하지 않고, 군인본분을 지키며 교장보직을 끝으로 은퇴했다. 나는 교장님 바로 옆자리에 앉았다. 우리학교 교장님 안부를 먼저 묻는다. 그리고 통합 사관학교계획을 설명했다. 통일되면 비무장지대에 육, 해, 공군을 통합한 사관학교를 만든다는 계획이다. 공군과 해군은 반대하는 계획이다. 그렇다고 그 말을 할 순 없었다. 나도 현관입구에 걸려있는 조감도를 보았다. 내 생각은 달랐지만, 통일을 대비해 미래계획을 세워놓은 건 존중했다. 그리고 "군인은 영원해야 한다."는 말이 인상적이었다. 결과적으로 그는 그 약속을 지켰다. 경청하고 있는 내게 묻는다. "자네, 술 잘 마시나?" "나하고 술내기 한번 할까?" 나는 무슨 뜻인지 바로 알아차렸다. 오늘 생도들에게 음주를 허락한다는 명분을 만드는 과정이다. 바로 자신 있는 목소리로 대답했다. "예, 한번 하시죠." "저는 잘 못하지만 생도들에게 필요할 것 같습니다." 금주가규정인 생도들의 모든 파티에는 음료수와 유사한 '펀치'라는 칵테일이 나온다. 그러나 최고지휘관이 허락하면 음주가 허용된다. 내 대답을 듣는 순간, 교장님은 큰 소리로 군수참모를 부른다. 다시 한 번 전 생도들이 다 들을 만한 더 큰 목소리로 외친다. “창고에 보관된 술 다 가져와.” 그 소리를 들은 전 생도는 함성을 지르고, 동시에 군악대 빵빠레가 울려 퍼진다. 완전 짜고 치는 고스톱이다. 마치 대기하고 있던 것처럼, 전 테이블에 소주와 맥주가 신속하게 배달된다. 나도 미래에 술꾼이 될 수 있다는 걸 처음 알았다. 소주잔은 따로 없다. 모두 칵테일 잔이다. 교장님과 지휘관참모들이 따라 주는 소주와 맥주를 다 받아 마셨다. 정신력으로 버텼다. “자네도 대단하구만.” 교장님이 한 말씀했다. 다행히 교장님은 생도들에게 마지막 인사말을 하고, 지휘관참모들과 함께 퇴장했다. 나는 바로 밖으로 뛰쳐나가 창자가 튀어나올 때까지 구토를 했다. 생도들은 술잔을 기울이며 허심탄회하게 대화를 한다. 서로 정복상의를 바꿔 입고 군악대연주에 춤을 추며 뒤엉켜 우정을 나눈다. 이 날로 부터 10년 후 국방대학원 재학 때 나와 정복을 바꿔 입었던 동기생을 우연히 만났다. 서로 반가운 마음에 술잔을 기울이며 그 날을 추억했다. 그리고 군은 달랐지만 오랫동안 서로 안부를 묻는 사이로 발전했다. 상호방문 프로그램 중에 한 가지 예만 들었다. 그 외에도 각 군을 이해 할 수 있는 많은 유익한 일정이 많았다. 이 제도는 합동작전을 해야 하는 군 특성상 긍정적인 효과가 있다. 그리고 각 군 사관학교 출신 기수별 위계질서를 유지하는데도 도움이 된다.

사관학교 4학년 동기생회장은 일반대학 학생회장역할을 한다. 실제 몇 개 대학 학생회장들과 상호교류가 있었고 친분을 유지했다. 4학년 초 토요일 어느 봄날, 학교장님 초청으로 A대 총장님과 교수, 학생회간부들이 방문해서 생도들 퍼레이드행사를 관람했다. 행사를 마치고 학교 호숫가에서 다과회가 있었다. 생도는 4학년 임원들만 참석했다. 이때 A대학생회장인 친구와 인사를 나눴다. 남자지만 매력적인 외모에 유쾌한 달변가였다. 바로 친구가 됐다. 친구와 오랜 기간 우정을 유지한 이유가 있다. 당시 우리 동네에 유명한 음악다방이 있었다. 무슨 인연인지 친구는 거기서 아르바이트로 야간에 DJ를 하고 있다고 한다. 당시 음악다방 DJ는 인기가 있는 직업이었다. 이후 주말에 집에 가면 음악다방에 들러 커피 한 잔의 여유를 누렸다. 쪽지로 음악을 신청하면 우선적으로 감상할 수 있는 특혜도 받았다.

4학년 2학기 가을날이다. B여대학생회장에게 연락을 받았다. A대회장인 친구가 소개해서 전화를 했고, 만남을 원한다고 했다. 주말에 자신의 친구들과 학교로 방문해서 견학도 하고, 사관생도와 미팅도 하고 싶다고 한다. 나는 미팅에 전혀 관심이 없었고 경험도 없다. 그러나 학교간의 명예가 달린 일로 거절할 수 있는 상황이 아니다. 주말에 특별한 약속이 없는 생도들 중 매너 좋은 친구 3명을 섭외해서 약속을 지켰다. 선택권도 없이 B여대 회장인 친구와 자연스럽게 파트너가 됐다. 첫 대면이지만 호감형의 외모와 솔직하고 친화적인 말솜씨에 나도 마음에 들었다. 미팅을 마치고 흩어져 학교견학을 했다. 사관학교는 넓은 면적에 비해 소수 인원이다. 그래서 대학캠퍼스보다 자연친화적 환경이다. 견학코스를 돌고 나면 공원에서 데이트한 느낌이라고 말한다. 특히 생도들이 지나가며 상호 경례하는 모습을 보고, 자신도 존중받는 느낌에 만족한다고 했다. 견학을 마치고 차를 마시면서 친구의 귀여운 속임수에 넘어갔다는 걸 알았다. 미팅을 주선한 이유가 나와 공식적 파트너가 되고 싶어서라고 말했다. 친구는 정치학을 전공하고 있었다. 몇 번의 즐거운 만남이 이어졌다. 그러던 어느 날 부터 정치나 이념적으로 편향적인 생각을 가감 없이 주장했다. 나는 친구와 생각은 달랐으나 소신은 존중했다. 그러나 몇 개월 후 장교로 임관하는 시점에 반정부시위를 지휘하는 운동권학생과의 교제는 현실적 어려움이 있었다. 친구에게 미안했고 아쉬움은 있었지만 이후 연락을 끊었다. 헤어짐의 이유를 말할 수는 없었다. 만남에서 내가 먼저 헤어짐을 선택한 건 처음이다. 나는 지금도 인연을 소중히 여기는 편이다. 사람과의 헤어짐에 익숙하지 못하다. 사랑도 우정도 오랫동안 함께 가는 걸 원한다.

군 조직의 리더는 많은 권한과 책임이 부여되고, 카리스마 있은 리더십이 요구된다. 10월 1일 국군의 날 행사를 마치면, 며칠 후 삼군사관학교체육대회가 열린다. 연고전, 고연전이라 불리는 행사 이상으로 치열하게 경쟁하는 대회다. 특히 전군군악대와 함께하는 생도들의 응원전은 정말 볼만하다. 나는 생도회장자격으로 체육대회개회식 날 삼군사관생도를 대표해서 선서를 했다. 운 좋게 그 해는 우리학교가 행사를 주관했기 때문이다. 선서문을 힘차게 낭독하고 단상에 올라 대통령께 선서문을 반납하는 절차다. 당시는 대통령참석행사로 3일간 체육대회 전체를 방송국에서 생중계를 했다. 텔레비전 속 짧은 노출임에도 영향력이 많았다. 덕분에 이름과 얼굴이 알려져 많은 팬레터도 받았다. 친구들 사이에서도 유명인이 되었다. 그때부터 친구들은 언젠가 더 큰 꿈을 가지라고 등을 떠밀었다. 나는 그 시대 대학생 관점에서는 동시대를 살아가는 평범한 또래 친구다. 그러나 내가 초등학교 검정고시출신인 점을 감안하면, 어릴 때 친구들 사이에서 내 위상은 개천에서 용이 된 놈이다. "군인이 나라 잘 지키면 되지 무슨 정치야?"라고 질타를 하는 사람도 있다. 현 시대는 검사출신이 당연한 것처럼 정치에 참여한다. 당시는 호불호가 있었지만 군 출신의 정치참여도 가능했던 시대적배경이 있었다. 어떤 조직이든 선출된 직책은 개인자격으로 이룰 수 없던 일을 할 수 있다. 권한에 대한 책임도 따르지만 힘이 생기는 건 사실이다. 내가 추구하던 '홍익인간' 이념이다. 때로는 나의 올바른 의사결정이 사람들을 이롭게 할 수 있다는 신념도 생겼다. 군에서는 리더십을 지휘통솔이라 표현하기도 한다. 나는 군 리더십전문가가 되기 위해 여러 교육기관에서 연수를 받았다. 교수시절에는 리더십교재도 만들고 지휘통솔론 강의도 했다. 그런데 학술적 가르침은 이론일 뿐이다. 실전에서는 "리더십의 왕도는 없다."고 생각한다. 내 리더십 유형을 스스로 평가하고 판단하는 것도 어렵다. 상황이나 대상에 따라 다르게 적용했던 것 같다. 세종대왕이나 이순신장군처럼 리더는 타고 나는 것 같기도 하다.

연구소를 만든 목적도 정치입문을 위한 공간으로 활용하기 위해서다. 여러 인맥을 통해 수많은 정치인과 인사를 나누고 많은 조언을 받았다. 대선출마를 했던 유명정치인도 친구소개로 함께 만났다. 우연이지만 오래전에 같은 아파트단지에 살았었다. 친구를 통해 알고는 있었지만 당시에는 개인적인 친분은 없었다. 그러나 친구가 나에 대해 말했던 것 같다. 정치인은 나를 이미 알고 있는 동생처럼 친근하게 대하며 한마디 한다. 정치를 시작하기에 너무 늦은 나이다. 정치를 하려면 생각했던 것 보다 더 많은 돈이 들어간다. 정치도 일찍 배워야 하는 전문분야다. 그러면서 내가 정치를 하면 안 되는 이유를 충분히 설명했다. 지금까지의 경험과 전문성을 살려 다른 일을 해보라고 한다. 그리고 이번 국회의원선거에 출마하니 자신을 도와 달라고 했다. 그 분 지역이 지방이라 큰 도움을 주지 못했지만 국회의원에 당선이 되었다. 한때는 친구들 사이에 내가 보좌관으로 간다는 잘못된 소문이 난 적도 있다. 후배에게 진심으로 정치의 꿈을 접게 한 충고는 감사하게 생각한다. 이러한 과정을 거치며 은퇴 후 첫 목표인 연구소운영은 순조롭게 진행되고 있다. 그러나 정치입문은 실패로 끝났다. 내가 경영고문으로 일하고 있는 회사는 대표이사인 친구의 전국적인맥과 사업능력으로 안정권을 유지하고 있다. 로마의 사상가 베게티우스는 "평화를 원하면 전쟁을 준비하라."고 했다. 안정적 삶을 위해 다음 목표인 창업 준비를 철저하게 하는 것이 앞으로 내가 할 일이다.

한바탕 잘 놀다 가는 인생

모든 인생에는 꿈이 필요하다. 나는 꿈을 향해 당당하게 나갔다. 그리고 계획했던 마지막 목표를 이루기 위해 모험을 떠날 준비를 시작했다. 은퇴하고 2년의 시간이 지났다. 그 동안 함께 일했던 오락기회사는 안정이 됐다. 더 이상 내가 할 일은 없다. 이제는 창업을 할 시간이 왔다. 사업계획서를 준비하고 있었다. 연구소사무실을 조건 없이 내 준 형님이 방문했다. 믿을 만한사람을 소개해 달라고 한다. 컴퓨터게임을 개발했는데 사업을 확장하려 한다고 했다. 내게 사업을 함께 하자고 제안하려 했는데, 부담스러워 말을 못했다고 한다. 나도 도움을 주고 싶은 마음이 있었지만, 친구와 동종업계 경쟁관계라 그렇게 할 수 없었다. 우리는 서로 좋은 감정으로 알고 지냈던 사이다. 그래도 사무실을 무상으로 내 줄 거란 생각은 못했다. 언젠가 보답해야 한다는 생각을 하고 있었다. 나는 한 친구를 소개했다. 중학교 때 교회에서 만나 오랜 세월 우정을 나눈 사이다. 겸손하고 성실한, 믿을 만한 친구다. 친구는 일하는 조건을 제시했다. 내 친동생과 함께 일하고 싶다고 했다. 동생은 나와 성격이 많이 다르다. 붙임성이 있어 내 친구들과도 친하게 지냈다. 내 허락만 받으면 된다고 한다. 이렇게 해서 친구는 전무, 동생은 부장 직책으로 입사했다. 갑작스럽게 시작된 사업인데 결과는 황금알이 되었다. 친구는 내가 사업을 시작하고 자금사정이 어려울 때 돈을 많이 벌었다며, 사업자금을 조건 없이 지원해 주었다.

이제는 내 차례다. 사업성공을 위해서는 그 동안 경험한 오락기 사업을 하는 것이 유리하다. 그러나 강에서 물고기를 보고 탐내는 것보다, 돌아가서 그물을 짜는 것이 옳다. 정부에서는 그동안 게임 산업을 장려해 왔다. 그런데 요즘 언론에서는 사행성으로 변질됐다며 연일 비판 보도를 하고 있다. 예상대로 오래 갈 수 있는 사업이 아니다. 나는 오락기사업은 미래가 없다고 결론 냈다. 창업을 위해 고민하던 중 친구들이 연구소를 찾아왔다. 현역에 있는 동기생과 현역에서 은퇴한 1년 후배 두 명이다. 모두 20년 이상 형제처럼 친하게 지낸 관계다. 식사를 하며 나는 고민을 말했다. "창업을 하려는데 어떻게 생각해?" 친구가 대답한다. "그 동안 사회경험 충분히 했으니 시작해 봐라." 제대한 후배들에게 사업에 동참해 줄 것을 요청했다. 모두 군에서 평판이 좋았던 친구들이다. 한 명은 곧 뉴질랜드로 이민을 간다고 했다. 다른 후배는 같이하겠다는 의지를 밝힌다. 러시아에서 유학해 러시아어에 능통하다. 국제무역이 꿈이라고 했다. 현역에 있는 친구가 군 관련 사업을 해보라고 조심스럽게 말했다. 나는 군 관련 일을 하지 않겠다고 말한 적이 있다. 아직 마음의 문이 열리지 않는다. 그렇다고 다른 대안이 있는 것도 아니다. 마침 유통 사업을 했던 후배가 사무실에 왔다. 젊은 친구인데, 사업능력이 좋고 적극적인 성격이다. 영업은 자신 있으니 함께 일하자고 했다. 10년 이상 알고 지냈는데, 나를 박사님이라 부르며 잘 따랐다. 갑자기 도원결의가 맺어진다.

군 슈퍼에 식, 음료를 납품하는 유통 사업을 하기로 결정했다. 현역에 있는 친구가 나를 따로 불러 말했다. "군 관련 사업을 하려면 직접 실무에 나서지 마라." "직접 나서면 공정성에 의심을 받을 수 있다." 나를 보호하려는 친구의 충고에 동의했다. 군에는 아직 동기생이나 가까운 선후배가 많이 있다. 전과예우라는 구설이 있을 수 있다. 여의도에 사무실을 임대하고 주식회사를 만들었다. 그리고 사업경험이 있는 후배를 대표이사로 결정했다. 군 관련 사업은 대부분 군 출신이 직, 간접으로 참여한다. 그래서 불이익이 없을 뿐이지 특혜는 사실상 어렵다. 우리 회사도 영업팀으로 군 출신 두 명을 영입했다. 사업은 순조롭게 흘러갔다. 군납은 검수절차와 심사가 까다롭다. 이미 검증된 대기업제품이 시장을 점유하고 있다. 우리는 그 틈새를 노려야 했다. 상품의 경쟁력은 품질과 가격이다. 시장에서는 대기업제품에 밀려 매출이 저조하다. 회사매출을 위해서는 상품의 다양화가 필요했다. 때로는 군납에 선정된 것만으로 만족하는 경우도 있다. 만두, 피자, 아이스크림 공장에서 제조

된 상품이 있었다. 군납이 확정되면 제품의 신뢰성을 인정받았다는 증거다. 이런 경우 학교급식이나 관공서납품경쟁에서 유리하다. 감사의 마음을 전하는 영세제조회사 사장님을 볼 때는 보람도 있다. 사업이 잘 되가니 사람들이 모여들기 시작했다. 나는 사무실을 내주고 각자 사업을 해나가게 했다. 그 동안 꿈꿔왔던 더불어 사는 삶이다. 납품되는 상품은 늘었지만 유통대행만으로는 실수익이 적다. 그러나 재고에 대한 리스크가 없는 것은 장점이다. 임원회의에서 수익을 늘리는 방안을 토론했다. 직접제조와 인기상품을 대량으로 구매하는 방법이다. 자금 부족으로 제조는 불가능하다. 대량구매를 선택했다. 사람들이 모이니 사업영역이 확장된다. 무역, 상조, 문구류, 미용기기, 오락기 각자 역량에 따라 실력을 발휘할 기회를 주었다. 내가 할 수 있는 일은 자금을 집행하는 거다. 각자 원하는 사업에 사람을 믿고 투자했다. 모두가 한 울타리 안에서 열심히 역할을 하는 것이 보기 좋았다. 오랜만에 느끼는 만족함이다. 내 꿈이 이루어지는 듯 했다.

그러던 어느 날 정부가 바뀌면서 많은 것이 순식간에 변한다. 과거에 군납시장은 별들의 전쟁터란 말이 있었다. 보통 장군출신이 사업에 참여를 하기 때문이다. 내가 직접 나서지 않는 이유 중 하나다. 들리는 소문에 군에서 사업관련실무자들이 교체됐다고 한다. 알게 모르게 나를 도와주던 현역에 있는 친구도 군복을 벗었다. 파워게임이 시작되는 것 같다. 그 동안 우리는 선택한 상품에 대해 자체검열을 엄격히 했다. 그래서 군납을 접수하면 통과되는 확률이 높았다. 그런데 어느 순간부터 통과가 안 된다. 이유는 알 수 없다. 알았다 해도 어찌 할 수 없다. 고래싸움에 새우등이 터지고 있다. 새우는 왜 죽는지 이유도 모르고 죽는다. 손쓸 틈도 없이 회사주력사업이 무너졌다. 그리고 예측한 대로 게임 산업의 판도가 변했다. 사업을 하던 친구들이 모두 범법자가 된다. 우리 회사도 별도사업으로 친구가 개발한 컴퓨터게임기를 구입해 매장을 운영했다. 단속이 심해져 매장에 있는 컴퓨터를 회수하고 문을 닫았다. 게임 사업에 종사하던 친구들은 업종을 변경했다. 그동안 자금이 필요했을 때 친구들에게 의존해 왔다. 이제는 자금줄도 끊겼다. 회사에 위기가 찾아왔다. 많은 노력으로 이룬 회사인데 순식간에 무너진다. 사람들이 생계를 위해 하나 둘 떠난다. 투자했던 자금도 회수를 할 수 없다. 매장에 있던 상품재고를 회수해 덤핑으로 넘겼다. 손실을 환산하면 가슴 아릴 정도로 큰 금액이다. 그런 와중에 어머니가 저혈압쇼크로 쓰러지셨다. 회사와 가까운 대학병원으로 옮겨 수술을 하고 중환자실에 입원을 했다. 수술비와 입원비 또한 감당하기 어려울 정도다. 다행히 동생의 노력으로 어렵게 병원비를 마련했다. 나는 대표이사에게 폐업절차를 진행하라 지시했다. 회사가 소유한 상표권, 사업권은 필요로 하는 임원들에게 나누어 주었다. 마지막 능력을 총 동원해 직원들 급여를 해결했다.

성공한 사업가는 자서전에서 최선을 다했다고 말한다. 실패한 사업가도 상황을 뒤집기 위해 그 이상 노력한다. "승리하면 조금 배울 수 있고, 실패하면 모든 것을 배울 수 있다"는 말이 있다. 그러나 실패한 삶은 어디에도 기록되지 않는다. "명성을 쌓는 것에는 20년 이라는 세월이 걸리지만, 명성을 무너뜨리는 것에는 5분도 걸리지 않는다. 그걸 명심한다며 당신의 행동이 달라질 거다." 돈 걱정 없이 사는, 워렌버핏이 내가 하고 싶은 말을 대신한다. 회사를 폐업하고 얼마의 시간이 지나 비서실장역할을 했던 부장에게 연락이 왔다. "회장님생신에 맞춰 모이기로 했습니다." 예약된 식당에 도착하니 전 임원들이 기다리고 있다. 각자 생계를 위해 다양한 직업을 갖고 있었다. 나는 건배를 제안하며 한마디 했다. "인재들을 모아 놓고 천하통일 못해서 미안하다." 오히려 그들은 나를 위로한다. "다시 시작하면 불러 주십시오." 아쉽지만 다시 뭉치기에는 내 능력이 부족하다. 작별인사를 했다. "한 바탕 잘 놀았다."

6부

삶의 고도를 조절하며

존재하지 않는 추억의 일기장

나는 지금까지 지난 삶을 기록하며 인생을 두 번 산 기분을 느꼈다. 그 순간에 한 번, 추억하면서 한 번이다. 처음에는 이렇게 오랜 시간 글을 쓸 수 있을 거란 생각을 못했다. 나는 일기장검사를 했던 초등학교 1학년 이후에는 글의 기초라고 하는 일기를 써 본적이 없다. 초등학교입학 전에 한글을 익혔지만 타고난 악필이었다. 내가 글을 써 놓고도 다시 보면 못 읽을 정도였다. 어머니는 "무슨 글씨가 지렁이 기어 다니는 것 같으냐?"라고 말했을 정도다. 그러다 보니 학창시절에는 특별한 경우를 제외하고 노트필기를 하지 않았다. 수업시간에는 듣는 걸로 만족했다. 덕분에 암기력은 발달했다. 20세 이후 펜글씨연습을 하고 난 후 부터 좋아졌다. 지금도 글을 빠르게 쓰면 악필의 습관이 나온다. 그래도 어린 시절에는 "그림을 잘 그리면 글씨를 못 쓴다." "천재는 악필이다."라는 말에 위안을 삼았다.

중학교 1학년 때 일이다. 나는 검정고시출신으로 초등학교 때는, 늘 나 보다 나이가 많은 친구들과 어울려 다녔다. 그래서 또래 친구들 보다 정신적으로 성숙한 편이었다. 이런 이유 때문인 것 같다. 입학해서 처음에는 상대적으로 어려 보이는 반 친구들과 소통을 못했다. 평소에 말이 없던 습관이 나왔다. 소통은 쌍방이 원해서 이루어지는 것인데, 내가 입을 닫고 있으니 소통이 안됐다. 그러던 어느 날 우리 반에 교생선생님이 왔다. 마치 초등학교 1학년 때 담임이던 천사 같은 선생님모습과 닮았다. 국어를 담당했던 선생님은 독후감쓰기 숙제를 내주었다. 어떤 책이든 상관없다고 했다. 나는 프랑스소설가 빅토르위고의 '장발장'을 읽고 독후감을 썼다. 며칠 후 선생님이 나를 교무실로 불렀다. 제출했던 독후감을 돌려주며, 다음 국어시간에 발표를 하라고 했다. 독후감의 자세한 내용은 기억나지 않지만 혼자 발표를 했다. 발표가 끝나니 선생님은 반 친구들에게 독후감은 이렇게 써야 한다며 박수를 치라고 한다. 그리고 글쓰기에 소질이 있으니 언젠가 글을 써보라고 했다. 나는 그때 이렇게 생각했다. "선생님은 내가 글을 잘 써서 발표를 시킨 것이 아니다." "반에서 유일한 검정고시출신에 대한 배려였다." "평소에 친구들과 어울리지 못한다는 정보를 알고 소통의 기회를 주기 위해서다." 그래서 글을 잘 썼다는 말은 믿지 않았다. 선생님 덕분에 그때부터 키가 큰 친구들부터 소통을 시작했다. 언젠가 글을 써보라는 선생님의 말은 가슴에 넣어 두었다. 요즘 들어 글쓰기연습을 위해 가끔 일기를 쓴다. 그 일기를 포장해서 에세이라고 우긴다. 그리고 블로그에 글을 올려 대중과 공유하기도 한다.

1월 1일(새해 첫날) 새해 첫날에 생각나는 시가 있다. 반치환 시인의 '새해 첫 기적'이란 글이다. "황새는 날아서, 말은 뛰어서, 거북이는 걸어서, 달팽이는 기어서, 굼벵이는 굴렀는데 한날한시 새해 첫날에 도착했다. 바위는 앉은 채로 도착해 있었다. 새해 첫날 한날한시에 모두 도착했다."

나는 어떤 속도로 지난 한해를 살았는지 생각해 본다. 세상을 살아가는 모두의 속도는 다르다. 어떻게 살았든 우리는 동시에 새해를 맞는다. 세상의 유일한 기쁨은 새로 시작하는 거다. 새로운 날이 오면 새로운 힘과 생각들이 들어온다. 그 동안 춥다, 눈 온다, 비 온다, 바쁘다 여러 핑계로 운동을 못했다. 운동이라고 해야 무작정 걷는 거다. 새해 첫날은 매년 반복적으로 새로 시작하는 것 같지만 새롭지 않은 결심을 한다. 운동하기, 책 읽기, 술 줄이기 제일 많이 해 본 결심은 다이어트와 담배 끊기다. 그러나 '작심삼일' 실패다. 그래도 일 년 동안 이런 결심 100번 하면 성공이다. 운동복으로 갈아입고 무작정 개천가산책로를 걸었다. 날씨가 차갑다. 그런데도 많은 사람들이 보인다. 각자 군인들 행군훈련 하듯이 무거운 표정으로 열심히 걷는다. 새해 첫날 세운 계획을 실천하려고, 나처럼 의무적으로 나온 것 같다.

오늘은 뭔가 특별한 일이 있을 거란 기대를 했지만 일상보다 더 심심하다. 편의점맥주와 안주거리로 집에서 나 홀로 고독을 즐긴다. 마침 트로트경연대회 재방송이 시작된다. 그 동안은 7080통기타 가요만 즐겼다. 요즘은 임영웅, 영탁 같은 젊은 트롯가수를 좋아하게 됐다. 세월의 흐름이 많은 것을 바꿔놓는다. 새해 첫날 평범하게 시작되는 하루다. 그래도 올해는 내 삶에 바람직한 변화가 있을 거란 희망을 가져본다.

1월 25일(커피한잔) 오늘은 월급날이다. 우리 세대는 가족을 위해 헌신해야 하는 시대를 살았다. 그동안 열심히 살았지만 나를 위해 보상하는 삶에 소홀했다. 이제는 수고한 나를 위해 월급날이면 정기적으로 하는 일이 있다. 아침 일찍 사우나에 간다. 이발을 하고 때밀이를 한다. 그리고 스포츠마사지도 받는다. 그러면 누적된 피로가 확 풀린다. 이때 만족감은 비용대비 효과만점이다. 사우나를 마치고 마시는 냉커피한잔은 에너지드링크보다 더 힘을 준다.

오늘은 영화 10도를 오르내리는 추위다. 이런 강추위가 며칠간 지속됐다. 요즘 날씨는 삼한사온으로 설명이 어렵다. 삼한사온은 3일간은 춥고 4일간은 따뜻하다는 의미다. 우리나라 겨울날씨특징을 나타내는 용어다. 그러나 온난화로 최근에는 불규칙하게 나타난다. 학창시절 겨울방학 때는 매일 스케이트장에서 놀았다. 동네에 있는 큰 다리 밑에 야외스케이트장이 있었다. 약속을 안 해도 그 곳에 가면 친구들과 어울릴 수 있다. 경쟁심이 발동해서인지 실력이 모두 수준급이다. 한참 놀다보면 숨이 거칠어지고 온몸이 땀으로 젖는다. 그럴 때면 군용텐트로 만든 매점으로 간다. 김이 모락모락 나는 호빵과 즉석에서 타주는 커피한잔은 추억으로 남아 있다.

그 동안 날씨 핑계로 운동을 안했다. 오늘은 성난 추위가 오후가 되니 잠시 누그러졌다. 나는 외출 전에 운동코스를 결정했다. 때로는 계획 없이 발길 닫는 대로 걷는 경우도 있다. 오늘은 왕복 두 시간 거리가 목표다. 운동을 가면서 방문하는 커피숍이 있다. 젊은 부부와 반려견 푸들이 함께 운영하는 아담한 커피숍이다. 나는 브랜드커피숍보다 개인매장을 선호한다. 한잔을 주문하면 경제적비용에 친절은 덤이다. 귀여운 강아지애교는 마음을 정화시킨다. 산책하며 한 모금씩 마시는 따뜻한 커피에 발걸음이 가볍다. 목적지인 안양천체육공원에 도착했다. 생각을 비우고 안양천을 바라보며 멍을 때린다. 이때 여유롭게 헤엄치는 오리가족을 만나면 더욱 반갑다. 시간이 갈수록 찬바람이 거세진다. 돌아오는 길에 컵라면, 삶은 계란, 쌍화차, 커피가 메뉴인 손수레할머니를 만났다. 종이컵에 담은 믹스커피와 삶은 계란 하나를 주문했다. 진정한 천원의 행복이다.

어린 시절 집에는 늘 미제커피가 있었다. 어머니는 집에 방문하는 교인들께 커피를 대접하는 것이 자랑이었다. 장미꽃무늬 커피잔을 자랑하며, 꼭 미제커피임을 강조했다. 그 덕분에 나는 이른 나이에 커피를 접했다. 커피, 설탕, 크림 각 두 스푼 내가 좋아하는 배합이다. 호텔커피, 브랜드커피, 카페커피 그리고 해외여행지에서 만났던 커피 그 동안 많은 커피를 경험했다. 그러나 나는 다방커피라고 불리는 커피믹스를 선호한다. 모임에서 한 친구가 동남아골프여행을 다녀왔다며 자랑을 한다. 나는 부부동반이었냐고 물었다. 친구는 단숨에 대답한다. 그 좋은 곳을 왜 와이프랑 가냐? 모두는 친구의 농담에 동의하듯 웃는다. 커피에 대한 호불호는 개인의 취향이다. 커피 한잔의 행복은 누구와 함께 마시는 가에 따라 다른 것이 아닐까?

2월 9일(까치설날) 설날은 새것이 아닌, 어제 그대로지만 새 마음으로 시작하는 날이다. 마치 나와 같은 오래된 고목의 나이테처럼, 일그러진 모양에 또 하나의 욕심을 채우려는 마음가짐이다. 신년 새해에 세웠던 다짐을 한 번 더 되새기는 날이기도 하다. 오늘은 설날연휴가 시작되는 날이다. 이제 맘 설레며 명절을 기다리는 나이는 지났다. 나는 지난해 신년을 맞이하기 하루 전에 했던 행동을 되풀이 한다. 아침 일찍 일어나 방 청소를 한다. 그리고 한해의 묶은 때를 깨끗이 씻어내기 위해 목욕탕으로 향한다. 몸과 마음이 개운하다. 집에 돌아와 커피 한잔을 마시고 옷장을 뒤적인다. 그 동안은 당연하듯이 검은색 정장을 입었다. 하늘에 계신 부모님께 신년인사를 하기 위해서다. 그런데 오늘은 왠지 그러고 싶지 않다. 빨강티셔츠에 노랑체크남방과 파랑점퍼, 그리고 진청색 청바지를 입었다. 그런데 공교롭게 입은 모든 옷이 동일 브랜드다. 입던 옷만 입고, 가던 곳만 가고, 만나던 사람만 만나는 익숙함에서 평안을 찾는 내 취향이다. 오늘은 뭔가 촌스럽고 어색하다. 나는 바로 다른 브랜드 초록색 골프바지로 갈아입었다. 그리고 검정 태 안경에 하얀색 골프용 구두를 신었다. 밖을 나서니 바람이 생각보다 차갑다. 다시 들어와 패딩을 꺼내 입었다. 그런데 이것도 같은 상표다. "애라, 모르겠다." "이것도 인연이니 그냥 나가자."

그동안은 부모님을 만나러 갈 때 발걸음이 늘 무거웠다. 그런데 옷차림을 밝게 하니 마음도 한결 가볍다. 인천행전철에 몸을 실었다. 부평역에서 환승하면 인천가족공원 앞에서 내릴 수 있다. 그런데 오늘은 걷고 싶었다. 부평역에서 내려 익숙했던 출구로 나왔다. 이 동네는 오래전에 사업을 실패하고 숨어 살다, 재기해서 떠난 곳이다. 허름한 주택가였는데 재개발로 작은 규모의 아파트단지가 되어 있다. 추억을 찾아보려 했는데 못내 아쉽다. 전철두정거장거리를 걸어 공원에 도착했다. 지금까지 듣고 오던 이어폰 속 트로트메들리를 찬송가연속듣기로 바꾸었다. 장미 두 송이로 만든 조화를 들고 부모님께 새해인사를 했다. 인사를 마치고 공원을 여유롭게 걸어 나올 때 동생에게 전화가 온다. 다짜고짜 "어디에요?"라고 묻는다. 귀신같이 알아챘다. 뭔가 텔레파시가 통하는 것 같다. 오늘도 일하는 중이라고 하며, 설날인 내일 만나자고 한다. 동생은 내가 은퇴한 후 부터 사회생활을 조언하는 친구역할을 해왔다. 전철출구를 나와 집으로 돌아오는 길이다. 단골호프집여사장이 문 앞에서 나를 보고 뛰어나왔다. "신니엔 콰일러"를 연속 외친다. "새해 복 많이 받으세요."라는 중국식인사말이다. 사장은 20년 전에 한국에 온 중국인이다. 그냥 지나 칠 수 없어 함께 가게로 들어갔다. 들어서니 10년 전부터 알고 지낸, 절친 선배가 혼자 술잔을 기울이고 있다. 나와 똑 같은 방법으로 신년인사를 받고 끌려 들어온 것 같다. 반가우면서도 오늘은 휴일인데, 무슨 일이냐고 물었다. 집에서 특별히 할 일이 없어 사무실에 출근했다고 한다. 호프에 치킨 한 마리 주문하고 합석을 했다. 술잔을 부딪치며 외로운 사람끼리 만나서, 그렇게 또 정이 쌓인다. 오늘은 까치설날이고, 내일은 우리설날이다. 오늘 만큼이라도 잊고 지낸 사람들 끼리 적당히 걱정도 해주고, 괜스레 그리워하기도 하며, 서로 생각나는 사람으로 살았으면 좋겠다.

후회 없이 살다가는 인생

오늘은 중요한 일정이 있다. 목욕재계(沐浴齋戒)가 필요한 날이다. 목욕재계는 목욕을 하여 몸을 정갈히 하고 마음을 가다듬어 부정을 피한다는 뜻이다. 동네에 오래된 작은 목욕탕이 있다. 요즘 들어 자주 찾는다. 목욕도 습관인지 날씨가 우중충하거나 몸이 찌뿌둥할 때 가게 된다. 과거에는 주말을 이용해 규모가 큰 대중탕에 갔다. 요즘은 일이 없는 날에는 평일에 동네 목욕탕을 이용한다. 때로는 독탕처럼 홀로 목욕을 즐길 수 있는 행운도 있다. 홀딱 벗은 자유로운 영혼은 온탕, 열탕, 냉탕 그리고 수면실과 찜질방을 반복해서 오간다. 봄날 같이 따사로운 온탕에서 피로를 푼다. 뜨거운 여름태양 같은 열탕에서 땀구멍을 연다. 습기로 가득 찬 찜질방에서 열대야의 숨 막힘을 견디면, 흠뻑 흘린 땀에 모든 스트레스가 날아간다. 곱게 물든 단풍사이를 뚫고 불어오는 가을바람처럼 시원한 돌침대에 몸을 눕힌다. 꿈에서 깨면 한겨울 계곡물 같은 냉탕의 차가움이, 병든 마음을 치유한다.

목욕탕에서는 현세와 단절된 무릉도원에 있는 것 같은 한 묘한 감정이 생긴다. 내가 좋아하는 당나라 시인 이백의 '산중문답(山中問答)'을 흥얼거려 본다. "문여하사서벽산(問余何事棲碧山) 소이부답심자한(笑而不答心自閑) 도화유수묘연거(挑花流水杳然去) 별유천지비인간(別有天地非人間). 무슨 까닭에 푸른 산에 사느냐 묻는다면, 미소로 대답을 대신하니 마음이 한가롭다. 복숭아꽃 물 따라 멀리 흘러가는 곳, 여기가 별천지요 인간세상 아닐세."

목욕탕에서 열탕과 냉탕을 오가며 뜨거움과 차가움을 참고 오래 버티기 위한 나만의 필살기를 터득했다. 바로 명상이다. 나는 마음이 안정되지 못함을 느끼면, 때와 장소 상관없이 명상을 한다. 명상은 특별한 비법이 있고 숙련된 사람만 할 수 있다는 선입견은 지나친 겸손이다. 내 목욕탕 명상법이다. 코끼리를 냉장고에 넣는 것처럼 쉽다. 첫째, 탕에 들어간다. 둘째, 바른 자세로 앉아 눈을 감는다. 셋째, 생각을 버리고 숨을 고르게 쉰다. 명상은 잡념을 버리고 순수한 마음상태로 돌아가는 거라 한다.

목욕으로 몸이 개운해지니 마음도 넉넉해진다. 오늘은 어떤 기분이 들까? 오랜만에 검은색 정장을 입고 거울 앞에서 한 바퀴를 돌아본다. 그리고 평소에는 입지 않던 두터운 코트를 걸쳤다. 오늘 따라 산속찬바람이 더욱 거세다. 인천가족공원에 도착했다. 부모님을 모신 곳이다. 그리고 먼저 하늘로 간 여동생도 함께 있다. 1년에 몇 번씩 다녀가는 장소지만 올 때 마다 새롭다. 마치 이승과 저승을 경계하는 다리 위에 서있는 느낌이다. 입구에서 걸어 들어오다 보면 묘비명이 적힌 팻말이 있는 것을 발견한다. 늘 한 번씩 읽어봐야 지나 갈 수 있는 장소에 있건만 모두 기억 할 수는 없었다. 오늘은 어딘가에 기록하고 싶은 마음에 익숙한 것만 사진으로 남겼다. "나는 모든 것을 소유하고자 했지만 결국 아무것도 갖지 못했다.(모파상) 나 우물쭈물하다 이렇게 될 줄 알았다.(버나드쇼) 후세사람들이여 나의 휴식을 방해하지 마시오.(노스트라다무스) 나는 어머니심부름으로 이 세상에 나왔다가 이제 어머니심부름 다 마치고 어머니께 돌아갑니다.(조병화) 일어나지 못해 미안하다.(헤밍웨이)"

글을 쓰다 갑자기 생각난 말이다. "내 무덤에 침을 뱉어라." 그동안 박정희 전 대통령의 묘비명으로 알고 있었다. 그런데 유신정권 말에 청와대 출입기자들에게 한 말이라고 한다. "이미 자신의 죽음을 예견하고 있었단 말인가?" 생각하며, 이 말을 이렇게 해석했다. 자신에 대한 평가는 역사에 맡기겠다는 소신이었을 거다. 독재정치는 언젠가 비난 받을 수 있다는 자기고백 일수도 있다. 우리는 누구나 죽음 앞에서는 겸손해 진다. 그런데 치열하게 세상과 경쟁하다 보면, 언젠가 순서 없이 죽는다는 사실을 잊는다. 내게는 어떤 묘비명이 어울릴까 생각해 봤다. "생야전기현(生也全機現) 사야전기현(死也全機現)" "살 때는 그 삶에 철저하여 그 전부를 살아야 하고, 죽을 때는 죽음에 철저하여 그 전부를 죽어야 한다." 12세기

말 북송의 선승 환오극근(圜悟克勤)의 어록에 기록되어 있다고 한다. 이 말은 젊은 시절 우연히 단전호흡관련 책을 읽다가 발견하고, 내 삶의 좌우명으로 삼았다. "최선을 다하고 후회 없이 살다죽자."라고 스스로 내린 해석이다.

납골당 문을 들어서면 '언젠가는 나도'라는 마음에 모든 욕심이 사라진다. 그러나 문을 나서면 언제 그랬냐는 듯이 다시 속세에 물든다. 부인 할 수 없는 인간의 이중성이다. 부모님은 갑작스런 사고로 한날한시에 하늘로 가셨다. 오늘이 5주기다. 동생과 나는 각자 정해진 음식을 마련해 납골당내 제사지내는 장소에 모였다. 우리는 5년간 제사를 잘 모시고 탈상을 하자는 약속을 했다. 그 동안 1년에 3번 동생과 함께 기일, 설날, 추석날 제를 올렸다. 부모님 앞에서는 늘 죄인의 마음이지만, 사실 자기위안도 있다. 자선냄비에 기부를 하면 돈을 넣은 사람이 가장 마음이 풍족하듯이, 조상에 대한 제사도 그런 것 같다. 우리 형제는 제사를 마치고 소주 한잔기울이며 서로의 노고를 치하했다. 그리고 하늘을 바라보며 부모님과 작별을 고했다. 납골당을 나와 공원길 모퉁이를 돌면 혼자 보기 아까운 푯말이 홀로 서있다. '길을 나서며' 시인 이 중길의 글이다.

"주인장! 그동안 신세 많이 지고 갑니다. 빈손으로 왔다가 빈손으로 가는 나그네, 젖먹이 유년 시절부터 청년과 중년을 거쳐 백발노인이 되기까지 오랫동안 신세 많이 지고 갑니다. 아무 것도 가진 것 없이 보잘 것 없는 빈털터리 손님으로 왔다가, 융숭한 대접을 받고 이제 빈손으로 돌아갑니다. 지난 세월 돌아다보니 한 순간 꿈이었군요. 즐거움과 슬픔도, 미움과 기쁨도, 욕심과 나눔도 한 순간 꿈이었군요. 많은 시련 속에 우여곡절도 많았지만, 나름대로 보람 있는 삶을 지내다 이제 빈손으로 돌아갑니다. 다음 세상에 내가 머물 곳은 그 어딘지 궁금하지만, 내 도착하는 대로 안부 전하리다. 잘 있다고."

나는 빨간색으로 살았다

나는 그 동안의 삶을 후회하지 말자 늘 다짐한다. 성공해서 좋았다면 추억이고, 실패해서 나빴다면 경험이고, 마음의 상처로 고통이 있었다면 운명이라 생각했다. 할 수 있거나, 할 수 있다고 생각하는 무엇이든 그것을 시작했다. 그리고 그 걸 용기라고 믿었다. 사람들은 내가 개성이 강하다는 말은 한다. 때로는 색깔 있는 사람이란 표현을 하기도 한다. 누구나 고유한 자신만의 색깔을 갖고 있다. 정치에서도 정당을 상징하는 각자의 색이 있고, 유명가수들도 팬들이 개성 있는 색을 만들어 준다. 그렇다면 나는 어떤 색으로 살았는가를 반문해 본다. 나는 빨간색이다. 강렬하고 정열적으로 살고 싶어 선택했다. 때로는 그렇게 살지 못한 아쉬움에 갈망하는 의미일 수도 있다.

내 인생은 계획에 없던 수많은 일이 있었다. 40대 중반 은퇴 후 쉬고 있는 기간이었다. 어릴 적부터 친하게 지내온 친구가 방문했다. 친구지인이 무당이 돼서 신당을 개업하는 날이라 한다. 무당은

신내림을 받고 신을 섬기며 굿을 하는 여성무속인을 말한다. 남성 무속인은 박수 또는 박수무당이라 한다. 여기까지가 내가 알고 있는 무속에 대한 전부다. 호기심에 친구와 함께 신당을 방문했다. 나는 기독교인이다. 그러나 어떤 종교라도 존중하고 관심을 두는 편이다. 친구와 무속인 남편은 형제처럼 지내는 사이라 한다. 서로 인사를 나누고 무속에 대해 많은 대화를 했다. 무속인 남편은 역학을 공부한 사람이다. 나보다 6살 연상이라 형님으로 부르기로 했다. 무속인은 신점으로 운명을 보는데, 자신은 그 능력이 없어 절에서 사주팔자를 오랫동안 연구했다고 한다. 내게 역학을 공부해 보라고 권했다. 기초는 자신이 가르쳐 주겠다고 한다. 새로운 학문에 대한 호기심이 발동했다. 즉시 관련서적을 구입해 음양오행설과 사주팔자에 대한 공부를 시작했다. 무속인은 초자연적인 힘을 빌려 점을 본다. 이와는 달리 역학자는 학문적 연구와 분석을 통해 인생의 선천적 운명을 논하다. 한자를 많이 알아야 하고, 학문이 깊어질수록 직관과 영감이 필요한 어려운 학문이다. 다행히 나는 초등학교부터 한자를 공부해 배움에 어려움은 없었다. 사주팔자는 사람의 탄생일을 기준으로 타고난 운명을 살피거나, 또는 이를 근거로 자연의 이치를 알아보는 학문을 말한다. 통상 사람이 선천적으로 타고난 운과 명을 말하기도 한다. 태어난 시점인 년, 월, 일, 시는 운명을 지탱하는 4개의 기둥이라 하여 사주라 부른다. 사주가 구성하고 있는 글자 수가 8개이기에 팔자라고 한다. 이 두개를 조합하여 사주팔자라 부르고, 인간의 타고난 운명을 살피는 기초로 삼는다. 역학공부를 어느 정도 마치고 실전연습을 위해 인터넷카페를 만들었다. 공부했던 글도 올리고 원하는 사람들의 사주를 봐주기도 했다. 그 당시 회원이 천명이 넘었다. 가끔은 오프라인에서 만남의 시간을 갖기도 했다. 역학공부는 사업을 시작하면서 더 이상 할 수 없었다. 내 사주는 태양을 의미하는 불의 기운, 빨간색이 중심이다. 이런 이유로 나무를 상징하는 파란색이 나를 도와주는 색이 되었다. 그래서 나를 상징하는 색깔로 빨간색을 선택했고, 좋아하는 색은 파란색이 되었다. 요즘은 사주풀이 프로그램에 생년월일만 입력하면 누구나 인터넷을 통해 자신의 운명을 알 수 있다. 이로 인해 사주풀이를 천직으로 삼았던 역술인들의 입지가 좁아졌다. 그러나 나처럼 취미로 공부하는 사람들은 오히려 인터넷정보가 도움이 된다. 무속인의 신점이건, 역학자의 사주건 너무 맹신하는 것을 반대한다. 요즘은 서양에서 유래된 타로를 보는 경우도 있다. 세상에는 다양한 방법으로 운명을 점치는 전문가들이 많다. 이때 경력 있는 고수들은 공통적인 조언을 한다. “절대로 맹신하지 말고 재미로 즐겨라.” “만일 운명 속에 위험이 있다면 미리 대비해라.” 나는 노력했지만 누군가의 인생에 영향을 줄만한 전문가반열에 들지는 못했다. 그렇다고 그동안 세상의 이치를 공부했던 시간이 낭비였다는 생각을 해 본적은 없다. 운명을 결정하는 것은 바르게 생각하고, 바르게 말하고, 바르게 행동하고 있는가에 대한 성찰에서 시작된다는 것을 배웠기 때문이다.

최근에 직장동료들과 술자리가 있었다. 나는 소주보다는 맥주를 즐겨 마신다. 가끔 술이 취하고 싶을 때는 소주를 타서 마시기도 한다. 그래서 소주만 마시는 동료들은 나와 술 취하는 속도가 안 맞는다고, 맥주만 마시는 내게 소주를 따라 놔둔다. 그런데 오늘은 소주잔에 맥주를 따라 놓았다. 누군가 실수로 그랬다고 생각하고 관심을 두지 않았다. 그런데 옆에 앉은 친구가 왜 소주를 안마시냐고 묻는다. 어디에 소주가 있냐고 물었다. 잔에 들어 있는 것이 방금 따라 놓은 소주라고 했다. 처음 보는 노란색 소주잔이다. 노란색 잔에 소주를 담으니 맥주처럼 보였던 거다. 마침 자리에 합석해 있던 호프집사장이 말했다. "주류회사에서 사은품으로 색깔 있는 소주잔을 가지고 왔어요." 그 소리를 듣고 모든 동료들은 색 있는 잔으로 바꿔 달라고 했다. 그리고 소주를 빨간, 파란, 노란색 잔에 따라 마셨다. 원하는 대로 색깔을 바꿔가며 마시는 술자리는 흥미롭다. 그날은 만족하며 즐겼다. 며칠 후 다시 모임이 있었다. 또 색깔 있는 소주잔이 나왔다. 술이 몇 순배 오고간 후 참석자중 한명이 색이 있는 소주는 술맛이 안 난다며 투명한 오리지널 소주잔을 요구한다. 그 말에 모두가 동의했다. 정말 그랬다. 모든 것은 고유한 색깔을 유지 할 때 제 맛을 느낄 수 있다. 한때는 형형색색의 과일 맛 소주가 유행이던 시절이 있었다. 그러나 요즘은 찾아보기 힘들다.

누구나 고유한 색을 가진다. 장미처럼 정열적인 빨간색을 가진 사람, 바다처럼 넓은 파란색을 가진 사람, 숲속처럼 청량한 초록색을 가진 사람, 개나리처럼 수줍은 노란색을 가진 사람이 있다. 내가 사랑하고 싶은 목련처럼 순수한 흰색을 가진 사람도 있다. 색깔이 있는 삶은 곧 저마다의 개성에 맞게 살라는 의미도 내포한다. 그리고 그 특성에 맞게 직업이나 사람을 선택하기도 한다. 우리는 예로부터 자신의 특성에 대한 파악을 위해 노력했다. 서양에서는 점성술이라 하여 태어난 생일을 기준으로 별자리를 해석한다. 우리나라는 12가지 띠를 기준으로 동물의 특성에 맞춰 자신을 유추했다. 그리고 일본은 혈액형을 보고 성격을 판단한다. 요즘 젊은 세대는 MBTI(Myers-Briggs Type Indicator)를 통해 자신을 성향을 분석한다. MBTI는 현재 널리 쓰이고 있는 성격유형검사 중 하나다. 이 검사는 메이어스와 그의 어머니 브리그스에 의해 개발되었다고 한다. 기본적으로 이 검사는 성격유형을 타고나는 것으로 본다. 개인마다 태어날 때부터 가지고 있는 고유한 특성은 변하지 않는다고 보는 것이다. 단, 고유한 성격이 환경이나 상황과의 상호작용을 통해 강화될 수도 있고, 약화될 수도 있음을 인정한다. 어떻게 보면 내가 공부했던 역학과 같은 원리다. 차이가 있다면 성격유형검사는 심리적 의지와 생각을 스스로 서술해서 판단을 받는다. 그러나 사주팔자는 자신의 의지와 상관없이 타고난 운명을 인정하고 시작한다.

얼마 전 딸 부부와 식사를 하는 자리가 있었다. 나는 사돈의 안부를 물으며 집안 얘기를 시작했다. 부모자식 간에 유전적으로 나타나는 닮은 성격과 부부간 성격차이가 대화의 주된 내용이다. 나는 부모자격으로 한마디 거들었다. 서로 다르게 자라온 환경으로 인해 부부간 성격차이는 존재한다. 서로 다름을 인정하고 이해하며 살라고 말했다. 경청하던 딸과 사위는 서로 MBTI 성향에 대해 대화를 나누고 있다. 여기서 세대 차이를 느꼈다. 내가 아는 바가 없어 대화에 끼어들지 못하고 있을 때 사위가 묻는다. "장인어른 MBTI는 무엇입니까?" 나는 바로 대답을 못하고 머뭇거리며 "응, A형이다."라고 말했다. 모두는 구세대의 즉흥적 답변에 웃었다. 내 기억으로 사관학교 때 이 검사를 받은 적이 있다. 그러나 검사결과를 통보받지 못했다. 그래서 누가 물어도 성격유형을 대답할 수가 없다. 그렇다고 나를 더 알기 위해 검사를 다시 받을 생각은 없다. 살아오면서 "자신을 알아야한다", "사람은 변하지 않는다."는 말에 동감을 한 적도 있다. 그러나 이제는 색깔이나 성격유형에 나를 가두지 않는다. 변화 없는 관념의 틀에 순응해서 남은 인생을 산다면 뭔 재미가 있겠나? 오늘은 비가 그치고, 해가 뜨며 나타난 무지개가 아름답게 보인다.

거짓말 같은 진실

뉴스에서 경찰청이 만우절을 맞아 거짓신고에 엄정 대응하겠다고 말한다. 그런데 이 말도 거짓말처럼 들린다. 매년 반복되던 경고다. 대통령의 대국민담화생중계가 시작된다. 새털같이 많은 날 중에 왜 오늘 발표할까? 오늘은 만우절이다. 만우절은 가벼운 장난이나 거짓말 또는 실제로 그럴싸한 말들로 상대방을 속이는 날이다. 만우절의 유래는 여러 가지가 있지만 제일 유력한 것은 프랑스 샤를 9세의 칙령이라 한다. 중세시대 16세기 무렵 유럽에서는 1년의 시작으로 여겼던 부활절의 날짜가 3월 25일부터 4월 20일 까지 해마다 들쑥날쑥 했다. 이에 프랑스 왕인 샤를 9세가, 1564년 1월 1일을 새해로 선포해 부활절을 바꿨다. 그러나 소식을 접하지 못한 사람들은 여전히 4월 1일에 선물을 교환하고 새해 인사를 나누었다. 사람들은 그 모습을 비웃으며 4월 1일을 신년축제인 것처럼 장난쳤고, 이것이 만우절의 시초라고 한다.

중학교 3학년 때 일이다. 나는 같은 반 친구 생일파티에 초대를 받았다. 생일파티에 초대 받은 일은 처음이다. 내 생일날도 누구를 초대한 적이 없다. 그동안 그다지 친한 관계라고 생각하지 않았는데 초대를 받았다. 친구는 내가 자신의 동네와 가까운 곳에 살고 있다는 걸 알고 있었다. 친하게 지내고 싶어 집 근처에 살고 있는 친구들만 초대했다고 한다. 이렇게 생일인 친구를 포함해서 5명이 모였다. 친구어머니가 만들어 주신 생일음식을 맛있게 먹고 쉬고 있을 때다. 친구가 제안을 한다. "윷놀이와 화투놀이 중에 하고 싶은 것 선택해라." 윷놀이는 운으로 승부하는데, 화투는 실력이 필요하다. 나는 화투로 할 수 있는 모든 놀이를 다 알고 있다. 그래서 화투놀이를 하자고 주장했다. 친구도 이미 그럴 거라 예측하고 있었다는 듯이 바로 화투를 꺼내왔다. 10원 짜리 동전도 많이 준비가 되어 있다. 우리 집은 명절 때 친척들이 만나면 다양한 방법의 화투놀이를 한다. 그런데 친구들은 화투 두 장의 끝수로 승패를 가리는 일명 '섯다'라는 놀이만 알고 있었다. 당시에 중학생의 놀이문화로 윷놀이는 가능했다. 그러나 화투놀이는 노름이라 해서 금지했다. 노름은 돈이나 재물을 걸고 내기를 하는 일이다. 한 참 분위기가 무르익어 갈 때다. 갑자기 친구아버지가 방으로 들어온다. 놀면서 떠드는 소리를 들은 것 같다. 우리는 깔판으로 사용했던 군용담요를 뒤집으며 시치미를 떼고 인사를 드렸다. 잘못 걸렸다. 마른체구에 금테안경을 쓴 친구아버지는 불 같이 화를 낸다. 나는 많이 당황했다. 우리부모님은 이런 일이 있으면 "재미있게 놀아라."하고 다시 나간다. 그것도 생일인데 친구아버지의 행동은 이해할 수 없었다. 우리는 무릎을 꿇었다. 숙제를 안 해 갔을 때, 선생님께 벌 받는 모습이다. 벌을 받는 동안 친구가 말했다. "이해해라, 아버지는 고등학교 영어선생님이야." 오늘 깐깐한 선생님께 잘못 걸렸다고 생각했다. 우리는 초대한 친구를 원망하며 30분 동안 벌을 받고 꾸중을 들어야 했다. 이 일을 계기로 함께 벌 받았던 친구들은 더욱 친해졌다. 그리고 졸업과 동시에 추억만 남기고 잊었다.

고등학교는 입학시험 없이 추첨을 통해 주소지와 가까운 곳에 배정되었다. 입학해서 얼마 지나지 않아 친구아버지와 학교에서 마주쳤다. 멀리서 복도를 걸어오는 걸 발견했다. 갑자기 친구 집에서 화투놀이 하다가 벌 받은 기억이 났다. 서울에 수많은 고등학교가 있는데 하필이면 우리학교 선생님일까? 원망했지만 도망칠 타이밍을 놓쳤다. 혹시 나를 기억하면 3년이 괴롭겠구나 생각하고 목례를 하며 빠른 걸음으로 지나쳤다. 다행히 못 알아 봤다. 너무 많은 학생들을 상대하니 사소한 일까지 기억을 할 수 없었을 거라 생각했다. 그 선생님을 3학년 때 다시 만났다. 선생님은 3학년 영어수업만 담당했다. 반장이었던 나는 수업 전에 일어나서 "선생님께 대하여 경례"라는 구호를 해야 한다. 이때도 선생님은 내가 아들친구라는 걸 모르고 있었다. 선생님은 성이 양씨라, 양 선생님인데 별명은 양이 아닌 염소였다. 날카로운 외모와 사투리가 섞인 영어발음이 염소울음소리 같다고 붙여진 별명이다. 대학입시를 위한 문법중심의 수업만 담당하다 보니 학생들 반응에 무관심하다. 마치 입시학원 강사처럼 혼자서 일방적 수업을 진행한다. 어중간한 실력으로는 진도를 따라 갈 수 없다. 한 마디로 재미가 없는 선생님이다.

3학년 초 만우절에 있었던 에피소드다. 학생들은 만우절에 선생님을 속이는 계획을 세운다. 선생님이 알면서 속아주는 재미도 있다. 나는 영어선생님께 복수할 계획을 세웠다. 점심시간에 그 생각을 반 친구들에게 설명하고, 옆 교실 반장과 상의를 했다. 우리는 5교시가 영어시간이었다. 옆 반은 체육시간인데 자습시간으로 바뀌었다고 한다. 그래서 일어나서 인사를 해야 하는 나를 제외하고, 모든 학생들은 반을 바꾸기로 했다. 영어수업을 꼭 들어야 하는 친구들은 남아도 좋다고 했지만, 모두 동참하겠다고 한다. 만일 선생님이 알아채면 박수를 치며 "선생님, 오늘은 만우절입니다."라고 소리치기로 했다. 120명이 동참한 대형프로젝트다. 선생님께 인사를 하고 수업이 시작됐다. 나는 마음이 조마조마했다. 선생님이 무서운 분이라는 걸 알기 때문이다. 평소에도 웃음기 없이 입술을 꽉 다물고 다닌다. 들키면 선생님이 웃고 넘어갈지, 아니면 일분일초가 소중한 3학년 때 이런 계획을 세운 나를 철없다고 꾸짖을 수도 있다. 재수 없으면 화투놀이하다 걸렸을 때처럼 벌을 받을지 궁금하기도 했다. 선생님은 수업을 마칠 때 까지 전혀 눈치 채지 못했다. 계획은 성공이다. 완벽하게 속였다. 그런데 여기서 이성과 감정 사이에 충돌이 생긴다. 만우절거짓말은 상대가 속아서 당황해

하는 모습을 보고 싶어서다. 이성적으로 판단하면 선생님을 완벽하게 속인 건 분명하다. 그런데 감성적으로 생각하면 개운치가 않다. 그렇다고 교무실로 선생님을 찾아가 우리가 속인 것을 말할 수도 없다. 그렇다면 실패한 계획이다. 여기서 하나를 깨달았다. 몰래카메라는 중간에 상대가 눈치 채면 방송에서 제외된다. 완벽하게 속였다고 생각하면 마지막에 몰래카메라임을 밝힌다. 그리고 속았다는 걸 알았을 때, 어떤 행동을 보일까에 대한 호기심을 자극하는 거다. 여기서 내가 무엇을 실수했는가를 바로 알았다. 한 가지 시나리오를 놓쳤다. 수업 중에 옆 반에서 자습하던 친구들이 우리 반 교실로 우르르 돌아오면서 만우절임을 말하는 거다. 그리고 선생님 반응을 보았어야 했다. 결과적으로 실패한 만우절계획이었다. 졸업식 날 선생님께 인사를 드렸다. 선생님은 내가 반장인 걸 알고 있다. "그 동안 수고했다."라며 악수를 하고 등을 토닥였다. 그때 나는 "선생님아들과 중학교동창입니다." "집에 놀러가서 화투놀이하다, 선생님께 들켜 벌 받았습니다."라고 했다. 선생님은 기억하고 있었다. "그랬구나. 당연히 기억하지, 아들 생일날인데, 너도 그때 그 자리에 있었냐?"라며 웃는다. 사랑하는 자식들 벌주고 기억 못하는 부모가 어디 있겠는가? 처음이자 마지막으로 본 선생님 웃음이다.

그 동안 지난 삶을 추억하며 생각을 글로 정리해 블로그에 올렸다. 글쓰기훈련을 위해 블로그가 효과적이라는 말을 들었기 때문이다. 처음에는 내 글을 누가 읽겠는가 생각하고 부담 없이 글을 썼다. 시간이 지나면서 글을 읽고 댓글로 격려해주는 독자가 있다는 사실을 알았다. 책임감을 느꼈다. 매일 글을 수정하고, 서점에 가서 공부에 필요한 책을 구입했다. 나는 정보를 분석하고 지식전달이 목적인 논문을 여러 편 쓴 경험은 있다. 논문의 기본은 타당성과 신뢰성이다. 타당성은 "잴 것을 쟀는가?", 신뢰성은 "누가 재도 똑 같은가?" 라는 질문이다. 논문은 그 질문에 대한 답을 해야 한다. 그래서 논문은 논리적이어야 한다. 이러한 설명은 내 개인적 견해다. 그러나 에세이는 논리적인 사고와 더불어 개인적 감정이 포함된다. 그래서 논문보다 더 어렵다. 독서량과 글 솜씨가 유의미한 연관성이 있는지는 잘 모르겠다. 내 평생 독서량은 다섯 수레를 충분히 채울 정도는 된다. 자신감을 갖고 도전해서 여기까지 왔다. 이 글이 자전적 에세이의 마지막에피소드다. 그동안 솔직하게 지난 삶을 말했다고 생각했는데, 공교롭게 만우절에 마무리를 한다. 대통령담화처럼 타이밍을 못 맞춘 것 같다. 누군가는 알면서 속아주었으면 좋겠다.

많은 전문가들이 소통의 중요성을 강조한다. 소통은 막히지 않고 잘 통한다는 뜻이다. 용기내서 글쓰기로 소통을 시작했다. 처음에는 마라톤 출발하듯 서두르지 않았다. 조금씩 꾸준하게 생각을 정리했다. 때로는 긴박하게 달리며 감정을 소진했다. 이젠 멈출 수 없을 만큼 멀리 왔다. 결승점이 바로 앞에 보인다. 더 이상의 욕심만 버리면, 내 인생을 어느 정도 담은 한편의 스토리가 탄생한다.

지난 삶을 추억하며 묵은 감정을 해소하고자 하는 목적으로 시작했다. 글을 쓰는 순간은 잡념이 없어지고, 마음이 정화되는 느낌을 받았다. 이래서 많은 사람들이 글쓰기를 취미로 즐기며 스트레스를 해소하는 것 같다. 그런데 빨리 완성하고 싶은 욕심이 생기는 순간부터 감정노동이 되버렸다. 잠시 멈추어야 한다. 적절한 시기에 욕심을 버리고 멈추는 건, 경험에서 배운 내 인생철학이다. 만족한 마음이 지속되는 것이 행복이라면 지금이다. 더 이상 후회가 없도록 내 삶의 속도와 행복의 기준을 스스로 결정하기로 했다.

만물의 영장이라 불리는 인간이 가진 독특한 특징이 있다. 미래를 상상할 수 있는 능력이다. 나는 겉으로 태연한 척 하지만 미래에 대해 끊임없이 고민한다. 미래에는 어디서, 누구와 무엇을 하며 어떻게 살고 있을까? 슬픔이 과거와 관련 있는 감정이라면 두려움은 미래에 속한다. 상처를 후벼 파는 것 같은 아픈 감정을 갖고 괜찮은 척 위장하고 살아왔다. 미래를 생각하면 날마다 두려움을 느낀다. 확신이 없어 불안하기 때문이다. 이제는 지난 일을 후회하거나, 오지 않은 일을 걱정하지 않고, 현재를 지켜나가야 한다는 결심을 한다. 이런 결심에도 불구하고 가끔 삶의 압박으로 인해 지칠 때가 있다. 애쓰지 않으면 아무 것도 얻을 수 없다는 걸 알기 때문이다. 이러 땐 조용한 자세로 쉬어간다. 지금이 그런 시간이다. 충분한 휴식을 갖고 다시 시작하면 된다.

돌이켜보면 지난 삶에서 내가 겪었던 에피소드는 그저 찰나였다. 누구나 공통적으로 경험하는 아프니까 청춘이었고, 애쓰니까 어른이었다. 나는 글쓰기라는 누구도 예상하지 못한 선택을 했다. 그 결과로 인생이 변하기 시작했다. 요즘 들어 주변 사람들은 내 얼굴색이 밝아졌고, 젊어 보인다는 말을 한다. 스스로 생각해도 자신감도 생기고 건강해진 느낌이다. 글을 쓰면서 과거의 기억을 하나 둘 털어버린 소통의 결과다. 아무것도 하지 않으면, 아무 일도 일어나지 않는다. 나는 평생 꾸준하게 무언가를 해왔다. 지금도 그렇게 살고 있다.

에필로그

연극이 끝난 뒤

우연히 본 경연프로그램에서 18세 소녀가 담백하게 부르는 '연극이 끝난 뒤'라는 음악이 흐른다. 이미 알고 있는 가사지만 오늘은 더욱 새롭다.

"연극이 끝나고 난 뒤 혼자서 객석에 남아 조명이 꺼진 무대를 본 적이 있나요? 음악 소리도 분주히 돌아가던 세트도 이젠 다 멈춘 채 무대 위에 정적만이 남아 있죠. 어둠만이 흐르고 있죠. 연극이 끝나고 난 뒤 혼자서 무대에 남아 아무도 없는 객석을 본적이 있나요. 힘찬 박수도 뜨겁던 관객의 찬사도 이젠 다 사라져 객석에는 정적만이 남아있죠. 침묵만이 흐르고 있죠. 배우는 무대 옷을 입고 노래하며 춤추고 불빛은 배우를 따라서 바삐 돌아가지만 끝나면 모두들 떠나 버리고 무대 위엔 정적만이 남아있죠. 고독만이 흐르고 있죠."

그 동안 영화촬영장에서 의상버스를 운영하는 스텝으로 참여했다. 모든 촬영이 끝나는 날 새벽 4시다. 짧은 인사말과 함께 자동차 경주하듯 모두가 급하게 사라진다. 그 동안 정도 많이 들었지만, 이제는 만남을 기약 할 수 없다. 나는 촬영 중인 영화시나리오를 읽다, 글을 쓰고 싶다는 마음속 잠재된 욕망을 발견했다. 오늘이 새로운 도전을 위해 영화판을 영원히 떠나는 날이다. 어둠과 정적만 남은 텅 빈 벌판에 홀로 남아, 운전석에 앉아 있던 내 모습이 떠오른다. '연극이 끝난 뒤'처럼 고독만이 흘렀다.

글쓰기 작업을 위해 일손을 놓은 후 부터 시간의 흐름에 무감각해진다. 마치 벽시계와 햇볕이 없는 카지노에 앉아있는 것과 같다. 나는 골방에 박혀 책을 뒤적인다. 책상 앞에 앉아 글도 끄적이고 있다. '조자룡 헌 칼 쓰듯' 칼 보다 더 무서운 펜을 휘두르고 있다. 나는 칼에 능숙한 조자룡이 아니다. 조심스런 선무당이다. 글을 쓰다 보면 봇물 터지듯 생각이 글로 전해지는 날이 있다. 때로는 아무리 노력해도 답답함만 더해지는 날도 있다. 오늘이 그런 날이다. 에세이 한편을 완성하겠다는 계획을 세웠다. 글의 속도가 나지 않는다. 이럴 때 찾아 낸 방법이 나보다 잘난 사람들 글을 찾아 인터넷에 몸을 맡기는 거다. 누군가 적어놓은 좋은 글이 눈에 띈다. "어떻게 말할까 괴로울 때는 진실을 말해라." "진실한 글이야 말로 깊은 감동을 주기 때문이다." 요즘은 이런 평범한 말에 감탄하며 영감을 얻는다.

마침, 뮤지컬배우인 시집간 딸에게 전화가 온다. "아빠, 어디야?" "집" "뭐해?" "그냥 있지." "알았어." 더 하고 싶은 말은 이심전심으로 대신하고, 간단하게 서로 살아 있음을 확인한다. 그래도 마음은 행복으로 가득 찬다. 딸과 그의 동생인 아들도 소통하는 방법이 너무 닮았다. 핏줄은 감출수가 없다. 나라야! 영진아! 너희는 있는 그대로의 모습이 참 예쁘다. 그런데 웃기까지 하면 얼마나 더 예쁠까? 모든 사람이 "해가 진다."라고 말할 때, "별이 뜬다."라고 말할 수 있는 그런 사람이 되어라.

한편의 글을 마치는 지금도 '연극이 끝난 뒤', 그 때와 같은 감정이다. 개인적으로 숨기고 싶었던 굴곡진 인생이었다. 모든 일이 생각대로 되지 않았다. 그래서 꽉 막혔던 그 동안의 삶을 글쓰기를 통한 소통으로 풀기 시작했다. 그리고 끝맺음을 했을 때, 내가 어떻게 변해 있을까에 대한 예고를 했다. 만일 변해있지 않다면 글을 쓴 나 자신도, 글을 읽은 사람도 헛된 시간 이었을 거다. 이 책은 소통에 서툴렀던 한 은퇴군인의 자전적 에세이다. 실패한 사업가는 건설노동자가 되고, 의상버스기사는 작가의 꿈을 꾼다. 이렇게 살아온 내 뒷모습에서 누군가는 약점을 찾으려 할 거고, 누군가는 닮으려 노력 할 것이다. 성공은 약점을 극복하고 당당하게 앞으로 나가는 사람의 몫이다. 나는 현재 대중과 소통하는 작가로 자유로운 삶을 살고 있다. 날마다 기록하며, 새롭게 시작하는 나의 비행은 계속 될 것이다. 최근 우연히 본 아시아나항공의 홍보문구를 인용해서 글을 미무리한다. "꿈의 비행은 어쩌면 한 사람의 세상을 옮기는 일이다."

꿈의 비행

한 은퇴군인이 묵묵히 적어 내린 자전적 에세이

발행일 2024년 7월 26일

지은이 이강효
펴낸이 마형민
기획 신건희
편집 조도윤, 박한서
디자인 김안석
펴낸곳 (주)페스트북
주소 경기도 안양시 안양판교로 20
홈페이지 festbook.co.kr

ISBN 979-11-6929-539-0 03810
값 17,500원

* (주)페스트북은 '작가중심주의'를 고수합니다. 누구나 인생의 새로운 챕터를 쓰도록 돕습니다.
creative@festbook.co.kr로 자신만의 목소리를 보내주세요.